JN275050

ドリル&ドリル
日本語能力試験 N3 聴解・読解

著者：星野恵子＋辻 和子

UNICOM Inc.

前書き

◆**この本の構成**

【聴解】
  ＜課題理解＞　　　　30問題（6問題×5回）
  ＜ポイント理解＞　　30問題（6問題×5回）
  ＜概要理解＞　　　　30問題（3問題×10回）
  ＜発話表現＞　　　　12問題（4問題×3回）
  ＜即時応答＞　　　　45問題（9問題×5回）

【読解】
  ＜内容理解（短文）＞　8問題（4問題×2回）
  ＜内容理解（中文）＞　6問題（3問題×2回）
  ＜内容理解（長文）＞　4問題（2問題×2回）
  ＜情報検索＞　　　　　4問題（2問題×2回）

正解・解説（別冊）

◆**この本の特徴と使い方**

① 問題数が多い。
 新しい「日本語能力試験」を受験するみなさんがN3の「聴解」と「読解」をマスターするための練習問題が数多く入っています。問題は、実際の試験と同様の、新しい問題形式で作られています。合格への近道は、できるだけ多くの問題を解いてみることです。この本1冊を勉強すれば、合格に近づくことができます。

② 回ごとに少しずつ進むことができる。
 少しずつ勉強を進めることができるように、それぞれの問題を何回かに分けてあります。1回ごとに必ず成績をチェックして、ページの右上の得点欄に点数を書き入れてください。実力がどれだけ伸びたか自分で確認することが大切です。

③ ていねいで、わかりやすい解説がついている。
 別冊に正解と問題の解説（ヒントや解き方）があります。「読解」の＜内容理解（短文）＞には、空白に入る言葉や文を考える部分もあります。これは、正解を見つけるための重要な練習ですから、必ず、やってみてください。

勉強する時間があまりない人は、正解をチェックして、間違えた問題の解説を読むといいでしょう。時間がある人は、正解できた問題でも、答えに自信がなかった問題の解説をよく読んでください。解説を読んで理解することによって、日本語の総合的な実力が向上するにちがいありません。

別冊には、難しい語句の翻訳（英語、中国語、韓国語）が入っています。語彙の勉強も兼ねて、活用してください。

◇N3「聴解」の勉強のポイント

＜課題理解＞

毎日の生活の中で、私たちはラジオやテレビや人から、さまざまな情報を聞いています。このような情報のポイント（何、いつ、どこ など）を聞き取る、現実的で実際的な聞き方を練習します。試験ではポイントをメモすることも大切ですから、練習のときから、メモを取りながら聞くようにしましょう。メモの書き方も、練習するにしたがって上手になるでしょう。

＜ポイント理解＞

はじめに質問を聞きます。次に問題用紙の選択肢を読んでおきます。はっきり言わないあいまいな会話もあるので、推測をしながら、話している人の気持ちや起こったことの理由などをつかむ練習をしましょう。

＜概要理解＞

2人の対話よりも、1人で話す問題が中心です。細かい点よりも、話の全体から概要をつかまなければなりません。ただ言葉を聞き取るだけでなく、推測をする練習も必要です。

＜発話表現＞

場面を表すイラストを見ながら、状況の説明を聞きます。ほかの問題とちがって、この問題では話し手の発話を選びます。話し手の発話が場面や状況に合っているかどうかを判断します。実際のコミュニケーションで場面や状況に合う発話ができる力をつけておきましょう。

＜即時応答＞

短い話を聞いて、その返事を3つの中から選びます。新しい形式の問題ですから、形式に慣れて、短い時間ですぐに答えが選べるようにトレーニングをしてください。練習をすればするだけ、慣れて、楽に正解が見つかるようになります。45の問題が終わったら、また最初から聞いて、繰り返し練習すると効果的です。

◇Ｎ３「読解」の勉強のポイント

<内容理解(短文)>

　短い文章を読みます。手紙、Ｅメール、お知らせなどの実用的な文章も出題されるかもしれません。速く読んで、すぐに要点をつかむ練習をしましょう。

<内容理解(中文)>

　350字ほどの文章を読みます。評論、解説文、エッセイなどの文章が中心になります。内容の事実関係をとらえる練習、さらに因果関係や筆者の考えなどを読み取る練習もしなければなりません。

<内容理解(長文)>

　550字ほどの評論、解説文、エッセイなどを読みます。内容の事実関係を理解するのはもちろんのこと、文字に表れていない筆者の考えなどを汲み取らないと答えられない問題もあります。少し大変ですが、長い文章を深く読む練習をしてこそ、読解力が向上しますから、がんばりましょう。

<情報検索>

　お知らせや案内などの実用文を読んで、必要な情報を見つけます。漢字、語彙の知識が足りないと、なかなか答えられません。自分が今実際にその情報を探しているつもりになって集中して読むと、答えが見つけやすくなるでしょう。

Preface

◇ **The makeup of this book**
【Listening】
<Task-based comprehension>   30 questions(6 questions × 5)
<Comprehension of key points>   30 questions(6 questions × 5)
<Comprehension of general outline>   30 questions(3 questions × 10)
<Verbal expressions>   12 questions(4 questions × 3)
<Quick response>   45 questions(9 questions × 5)

【Reading】
<Comprehension (Short passages)>   8 questions(4 questions × 2)
<Comprehension (Mid-size passages)> 6 questions(3 quesitons × 2)
<Comprehension (Long passages)>   4 questions(2 questions × 2)
<Information retrieval>   4 questions(2 questions × 2)

Answers/Explanations(separate book)

◇ **Features of and how to use this book**
(1) A large number of questions are provided.
This book contains a large number of practice tests in the area of "Listening" and "Reading" for those who are going to take the new "Japanese-Language Proficiency Test" Level N3. All the questions have been made in the same new styles taken in the actual test. A shortcut for you to pass the test would be to try as many practice questions as possible. We hope you study this book hard and can finally pass the test.

(2)You can proceed gradually by taking one test at a time.
Each test is split into several portions so you can proceed your study little by little. Make sure you fill in your score each time in the score space at the top of the page because it is important to check your current level.

(3)Helpful explanations are provided.
You will find the correct answers and explanations (tips and answering techniques) in the separate booklet. In the "Comprehension (Short passages)" section for "Reading", there are also helpful guides for choosing the right words and sentences for blanks. We strongly advise you to try this practice because it is important for grasping the main ideas of a passage and find the right answers.
If you don't have much time to study, you can just check the right answers and read the explanations for the ones you were wrong with. If you do have time, please read the explanations carefully even if your answers were correct but you were not confident with them. By reading the explanations and understanding them, you will surely improve your general skills of Japanese.
In the separate booklet, translation of difficult words and phrases is provided (in English, Chinese, Korean). Please make use of it for studying vocabulary as well.

◇ **Study points for N3 "Listening"**
<Task-based comprehension>
We hear all kinds of information in our daily life through radio or TV or people. In this section you practice catching the necessary information (real-life information such as what, when, where etc.). It is also important to take notes during the test, so practice listening while taking notes. You can also improve note-taking techniques in a while.

<Comprehension of key points>
First you listen to some questions. Next you read the choices on the test paper. There are some conversations that are rather vague and indirect, so you need to practice guessing and catching the speaker's feelings or reasons for some incidents.

<Comprehension of general outline>
Mostly one person's speeches instead of two-people dialogs are given. You need to get the main idea of the whole speech rather than the detailed points. You should be able to make a guess besides comprehending the speeches.

<Verbal expressions>
You listen to an explanation of a situation while you look at an illustration that describes the scene. Unlike other questions, you choose the speaker's utterance in this question. You judge if the speaker's utterance is suited to the scene or situation. You need to strengthen your skill to be able to say what is suited to particular scenes and situations in actual communications. Make sure you carry it out for practice.

<Quick response>
You listen to a short story, and need to pick the right response out of three choices. Because this is a new type of questions, try to get used to this style and train yourself to be able to pick the right answers in a short time. The more practice you make, the more you will get used to it and be able to get the correct answers easily. It will be effective, when you are finished with all the 45 questions, to go back to the first one and listen again.

◇ Study points for N3 "Reading"

<Comprehension(Short passages)>
You read a short passage, sometimes daily-life messages such as a letter, Email, notice, etc. You need to practice fast reading and getting the essential points.

<Comprehension (Mid-size passages)>
You read an about-500-character-long passage, mostly a comment, report, or an essay. You need to practice telling if some incidents are true or false, and also need to practice understanding cause-and-effect relations or author's ideas.

<Comprehension (Long passages)>
You read an about-1000-character-long comment, report, or essay. You need to be able to tell if some incidents are true or false first of all, and also there are some questions that are pretty hard to answer unless you pick the author's ideas which are not expressed in the written sentences. It may be a little hard, but your reading skill must improve only if you practice reading long passages, so hang in there and do not give up.

<Information retrieval>
You read notices or announcements and then search for necessary information. It is pretty difficult to answer these questions if you do not have enough knowledge of *kanji* and vocabulary. It would be advised that you read the sentences and phrases thinking that you actually are trying to find certain information, and you would be able to better concentrate yourself and find the answers more easily.

序言

◇ 这本书的构成

【听力和理解】
<课题理解>　　30题（6题×5回）
<要点理解>　　30题（6题×5回）
<概要理解>　　30题（3题×10回）
<语言表达>　　12题（4题×3回）
<立即回答>　　45题（9题×5回）

【阅读和理解】
<内容理解（短文）>　　　　　　8题（4题×2回）
<内容理解（中等长度的文章）>　6题（3题×2回）
<内容理解（长文）>　　　　　　4题（2题×2回）
<情报检索>　　　　　　　　　　4题（2题×2回）
正确答案・解说（另册）

◇ 这本书的特征和用法

1 练习题多

　　为了使准备应试新"日本语能力试验"的学习者掌握N3的"听力和理解"与"阅读和理解"，本书收入了大量练习题。这些练习题和考试时的考题一样，是使用新的形式制作的。及格的近道，就是大量做练习题。只要学习本书，就能向合格的目标挺进。

2 每回都能循序渐进地向前发展

　　为了循序渐进地向前发展，这些练习题各自分成几回。每一回都请测评出成绩，在当页的右上角的得分栏中填入分数。自己能确认实力的提高是非常重要的。

3 附有简而易懂的解说

　　在另册中有正确答案和练习题的解说（要点，解题方法等）。在"阅读和理解"的<内容理解（短文）>中，空白处填入的词语和句子有需要考虑的部分。这是抓住文章要点，找到正确答案的很好的练习，请一定好好做题。

　　如果你是没有时间的人，你只要检查自己的答案是否正确，然后，读一下答错的习题的解说就可以了。如果你是喜欢学习的人，即使回答正确，如果对答案不是很确信的话，也请慢慢仔细阅读解说部分。如果能阅读和理解"解说"，你的日语综合实力会大大提高。

　　在另册中，对比较难的语句，附有英文，中文和韩文的翻译。也可成为学习单词的机会，请好好利用。

◇ N3"听力和理解"的学习要点

<课题理解>

　　每天的生活中，我们从广播，电视，和他人那儿获得生活所必需的情报。听取这些情报（什么，谁，何时，何地），练习现实中的听力。也请有效利用笔录的方法。 如果多练习，也能提高要点的笔录技巧。

< 要点理解 >
　首先，听所提的问题。然后，读一下练习题中的选择项目。也有不是说得很清楚的暧昧的说话方式，一边推测，一边抓住说话人的心情，发生事情的理由等，练习听力和理解力。

< 概要理解 >
　与其说是两个人的对话，倒不如说是以一个人说话的练习题为中心的。并不是要听取各个细部，练习从全文中听取概要。不只是要听懂词语，推测练习也相当重要。

< 语言表达 >
　一边看表现场面的插图，一边听状况的说明。和别的练习题不同，这个习题是选择说话者的表达。判断说话者的表达是否符合场面和状况。要加强与实际的交流场面和状况相符合的表达能力。因为是练习，一定要试着做。

< 立即回答 >
　听一段很短的讲话，从 3 个回答中选择一个。这是新的形式的"听力和理解"的题目，为了习惯这种形式，马上做出反应，请多练习。练习做得越多，习惯得越快，很容易地就能找到正确答案。45 道练习题做完后，再从头开始听，反复练习就会有效果。

◇ N3"阅读和理解"的学习要点
< 内容理解 (短文)>
　阅读较短的文章。信，电子信件，通知等实用性的文章都可能会出现在试题中。需要练习快速阅读后，迅速抓住要点。

< 内容理解 (中等长度的文章)>
　阅读 500 字左右长的文章。主要是以评论，解说文，散文为中心。需要进行读懂内容的事实关系的练习，更进一步地说，需要进行读懂因果关系及笔者的想法的练习。

< 内容理解 (长文)>
　阅读 1000 字左右的评论，解说文，散文等。除了理所当然要理解内容的事实关系以外，如果不能抓住在文字中没有表现出来的笔者的想法，就有可能没法回答问题。也许会很辛苦，请练习深入阅读长文，这样会提高阅读能力，好好努力吧。

< 情报检索 >
　阅读通知，指南等实用性文章，从中发现必要的情报。如果汉字和单词的功力不足，将会很难解答问题。如果能想象自己真的就在寻找情报，也许会比较容易找到答案。

머리말

◇이 책의 구성
 문제 (본책)
【청해】
< 과제이해 >   30 문제 (6 문제 × 5 회)
< 포인트이해 > 30 문제 (6 문제 × 5 회)
< 개요이해 >   30 문제 (3 문제 × 10 회)
< 발화 표현 > 12 문제 (4 문제 × 3 회)
< 즉시응답 >   45 문제 (9 문제 × 5 회)

【독해】
< 내용이해 (단문) >   8 문제 (4 문제 × 2 회)
< 내용이해 (중문) >   6 문제 (3 문제 × 2 회)
< 내용이해 (장문) >   4 문제 (2 문제 × 2 회)
< 정보검색 >   4 문제 (2 문제 × 2 회)
정답·해설 (별책)

◇이 책의 특징과 사용방법
1. 문제수가 많다.
새로운「일본어능력시험」을 보실 여러분이 N3 의「청해」와「독해」를 마스터하실 수 있도록 연습문제가 많이 준비되어 있습니다. 문제는 실제 시험문제와 동일한 새로운 문제형식으로 만들어져 있습니다. 합격의 지름길은 가능한 한 문제를 많이 풀어보는 것입니다. 이 책으로 공부한다면 합격에 다가갈 수 있습니다.

2. 회마다 조금씩 진도가 나간다.
조금씩 공부의 진도가 나갈 수 있도록, 각각의 문제를 몇회로 나눴습니다. 매회마다 반드시 성적을 체크하여, 페이지의 오른쪽 상단에 있는 득점란에 점수를 기입해 주세요. 실력 향상을 직접 확인하는 것이 중요합니다.

3. 자세하고, 이해하기 쉬운 해설이 붙어있다.
별책에 정답과 문제에 관한 해설 (힌트와 푸는 방법) 이 있습니다.「독해」의 < 내용이해 (단문) > 에는, 공백에 들어갈 단어와 문장을 생각하는 부분도 있습니다. 이는 정답을 찾기 위한 중요한 연습이 되므로, 반드시 해보시기 바랍니다.
공부할 시간이 별로 없는 사람은, 정답을 체크하고 틀린 문제에 관한 해설을 읽어보세요. 시간이 있다면, 정답을 맞춘 문제라도 답에 자신이 없었다면 문제의 해설을 잘 읽어보시기 바랍니다. 해설을 읽고 이해함으로써, 일본어의 종합적인 실력이 향상될 것입니다.
별책에는 어려운 어구의 번역 (영어, 중국어, 한국어) 이 들어가 있습니다. 어휘 공부를 위해 함께 활용해 주세요.

◇ N3「청해」공부 포인트
< 과제이해 >
매일 생활하면서 우리들은 라디오나 텔리비젼을 통해 다양한 정보를 듣고 있습니다. 이러한 정보의 포인트 (무엇, 언제, 어디 등) 를 알아 듣기 위한, 현실적이며 실제적인 듣는 법을 연습합니다. 시험에서는 포인트를 메모하는 것이 중요하므로, 연습할 때부터 메모를 해가며 듣도록 합시다. 메모하는 법도 연습해 갈 수록 능숙해 진답니다.

< 포인트 이해 >
먼저 질문을 듣습니다. 다음으로 문제용지에 있는 선택지를 읽어 둡니다. 확실하게 말하지 않는 애매한 회화내용도 있으므로, 추측해 가며, 말하고 있는 사람의 기분이나 일어난 일의 이유 등을 알아내는 연습을 해봅시다.

< 개요이해 >
2 사람의 대화보다 주로 1 사람이 얘기하는 문제가 많습니다. 세세한 부분보다는 얘기 전체로부터 개요를 파악해야만 합니다. 단지 단어를 알아듣는 것만이 아니라, 추측을 하는 연습도 필요합니다.

< 발화 표현 >
장면이 표현되어 있는 일러스트를 보면서, 상황에 관한 설명을 듣습니다. 다른 문제와 달리, 이 문제는 화자의 발화를 선택하는 문제입니다. 화자의 발화가 장면과 상황에 맞는지 어떠한지를 판단합니다. 실제 커뮤니케이션에서 장면과 상황에 맞는 발화를 할 수 있는 실력을 키우도록 합시다. 연습이니 반드시 해 보십시오.

< 즉시응답 >
짧은 얘기를 듣고, 그 대답을 3 가지 중에서 선택합니다. 새로운 형식의 문제이므로, 형식에 적응하여 짧은 시간에 바로 답을 선택할 수 있도록 트레이닝을 해 주세요. 연습하면 할수록 문제 형식에 익숙해져 쉽게 정답을 찾을 수 있게 됩니다. 45 개의 문제가 끝나면 다시 처음부터 들으며, 반복 연습하는 것이 효과적입니다.

◇ N3「독해」공부 포인트
< 내용이해 (단문) >
짧은 문장을 읽습니다. 편지, E-mail, 안내등의 실용적인 문장이 출제될 가능성도 있습니다. 빨리 읽고, 바로 요점을 파악하는 연습을 해봅시다.

< 내용이해 (중문) >
500 자정도의 문장을 읽습니다. 평론, 해설문, 에세이 등의 문장이 주로 나옵니다. 내용의 사실관계를 알아내는 연습, 그뿐 아니라 인과관계나 필자의 생각 등을 읽고 파악하는 연습도 해야만 합니다.

< 내용이해 (장문) >
1000 자정도의 평론, 해설문, 에세이 등을 읽습니다. 내용의 사실관계를 이해하는 것은 물론, 문자로는 표현되지 않은 필자의 생각을 이해하지 않으면 답할 수 없는 문제도 있습니다. 조금 어려울 수도 있습니다만, 긴 문장을 깊이 있게 읽어 가는 연습을 해야만 독해력이 향상될 수 있으므로 열심히 해봅시다.

< 정보검색 >
통지나 안내 등의 실용적은 문장을 읽고, 필요한 정보를 찾아냅니다. 한자, 어휘실력이 부족하면 좀처럼 답하기 어렵습니다. 자신이 지금 실제로 그 정보를 찾고 있는 입장이 되어 집중해서 읽는다면, 답을 쉽게 찾을 수 있을 것입니다.

目次

前書き --- 2
Preface -- 5
序言 --- 7
머리말 --- 9
目次 -- 11
音声 -- 12
聴 解 --- 13
  トラック No 一覧 --- 14
  課題理解 --- 16
  ポイント理解 -- 32
  概要理解 --- 42
  発話表現 --- 72
  即時応答 --- 78
読解 -- 83
  内容理解・短文 -- 84
  内容理解・中文 -- 92
  内容理解・長文 --- 104
  情報検索 -- 112

【別冊】正解・解説
聴 解 課題理解 -- 2
  ポイント理解 -- 18
  概要理解 --- 34
  発話表現 --- 49
  即時応答 --- 52
読解 内容理解・短文 --- 62
  内容理解・中文 -- 67
  内容理解・長文 -- 73
  情報検索 --- 78

音声

音声はMP3ファイルをZIP形式で圧縮してダウンロードサイトに掲載してあります。下記のサイトからダウンロードしてご利用ください。
ファイルを使用するにはパスワードが必要です。
音声ファイルの使用方法はご自身の機器の再生方法の説明書を参照してください。

ダウンロード方法

1) ご使用のブラウザ（safari、Google chromeなど）で下記のサイトへアクセスして下さい。

http://www.unicom-lra.co.jp/jd/Drill&DrillN3_LSTN.html

2) ダウンロードするふたつのファイルとそのパスワード

  ファイル名　Drill&DrillN3 聴解読解_A.zip　　パスワード　UCD-043-01

  ファイル名　Drill&DrillN3 聴解読解_B.zip　　パスワード　UCD-043-02

※サイトやパスワードは英数半角で大文字、小文字に注意して入力して下さい。
※上記の音声ファイルは著作権によって保護されいます、無断転載複製を禁じます。

聴　解 【Listening】

課題理解(かだいりかい)　　　第1回(だいかい) - 第5回(だいかい)
ポイント理解(りかい)　　　第1回 - 第5回
概要理解(がいようりかい)　　　第1回 - 第10回
発話表現(はつわひょうげん)　　　第1回 - 第3回
即時応答(そくじおうとう)　　　第1回 - 第5回

トラックNo 一覧

N3 聴解

課題理解 — A-02

第1回
- 1番 A-03
- 2番 A-04
- 3番 A-05
- 4番 A-06
- 5番 A-07
- 6番 A-08

第2回
- 7番 A-09
- 8番 A-10
- 9番 A-11
- 10番 A-12
- 11番 A-13
- 12番 A-14

第3回
- 13番 A-15
- 14番 A-16
- 15番 A-17
- 16番 A-18
- 17番 A-19
- 18番 A-20

第4回
- 19番 A-21
- 20番 A-22
- 21番 A-23
- 22番 A-24
- 23番 A-25
- 24番 A-26

第5回
- 25番 A-27
- 26番 A-28
- 27番 A-29
- 28番 A-30
- 29番 A-31
- 30番 A-32

ポイント理解 — A-33

第1回
- 1番 A-34
- 2番 A-35
- 3番 A-36
- 4番 A-37
- 5番 A-38
- 6番 A-39

第2回
- 7番 A-40
- 8番 A-41
- 9番 A-42
- 10番 A-43
- 11番 A-44
- 12番 A-45

第3回
- 13番 A-46
- 14番 A-47
- 15番 A-48
- 16番 A-49
- 17番 A-50
- 18番 A-51

第4回
- 19番 A-52
- 20番 A-53
- 21番 A-54
- 22番 A-55
- 23番 A-56
- 24番 A-57

第5回
- 25番 B-01
- 26番 B-02
- 27番 B-03
- 28番 B-04
- 29番 B-05
- 30番 B-06

概要理解 — B-07

第1回
- 1番 B-08
- 2番 B-09
- 3番 B-10

第2回
- 4番 B-11
- 5番 B-12
- 6番 B-13

第3回
- 7番 B-14
- 8番 B-15
- 9番 B-16

第4回
- 10番 B-17
- 11番 B-18
- 12番 B-19

	第5回	13番	B-20			7番	B-58
		14番	B-21			8番	B-59
		15番	B-22			9番	B-60
	第6回	16番	B-23		第2回	10番	B-61
		17番	B-24			11番	B-62
		18番	B-25			12番	B-63
	第7回	19番	B-26			13番	B-64
		20番	B-27			14番	B-65
		21番	B-28			15番	B-66
	第8回	22番	B-29			16番	B-67
		23番	B-30			17番	B-68
		24番	B-31			18番	B-69
	第9回	25番	B-32		第3回	19番	B-70
		26番	B-33			20番	B-71
		27番	B-34			21番	B-72
	第10回	28番	B-35			22番	B-73
		29番	B-36			23番	B-74
		30番	B-37			24番	B-75
						25番	B-76
発話表現			B-38			26番	B-77
	第1回	1番	B-39			27番	B-78
		2番	B-40		第4回	28番	B-79
		3番	B-41			29番	B-80
		4番	B-42			30番	B-81
	第2回	5番	B-43			31番	B-82
		6番	B-44			32番	B-83
		7番	B-45			33番	B-84
		8番	B-46			34番	B-85
	第3回	9番	B-47			35番	B-86
		10番	B-48			36番	B-87
		11番	B-49		第5回	37番	B-88
		12番	B-50			38番	B-89
						39番	B-90
即時応答			B-51			40番	B-91
	第1回	1番	B-52			41番	B-92
		2番	B-53			42番	B-93
		3番	B-54			43番	B-94
		4番	B-55			44番	B-95
		5番	B-56			45番	B-96
		6番	B-57				

第1回 課題理解

日付	/	/	/
得点	/6	/6	/6

まず質問を聞いてください。それから話を聞いて、問題用紙の1から4の中から、最もよいものを一つえらんでください。

1ばん A-03

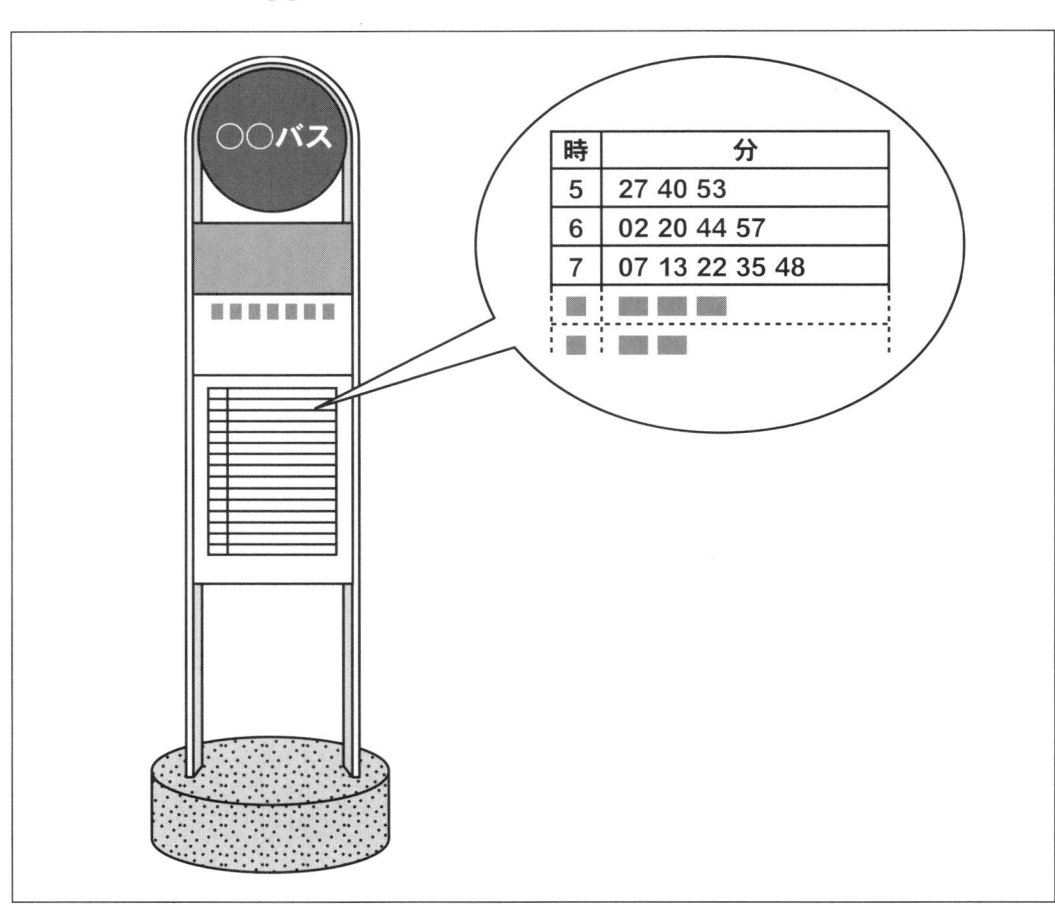

時	分
5	27 40 53
6	02 20 44 57
7	07 13 22 35 48

1　5：53
2　6：44
3　6：57
4　7：07

2ばん 🔊 A-04

1　テストを受ける
2　次のテストの準備をする
3　まちがえたところを直す
4　先生に質問する

3ばん 🔊 A-05

1　窓口
2　ロビー
3　銀行
4　教室

4ばん 🔊 A-06

1　おじいさんに電話をする
2　おばあさんに電話をする
3　デパートに行く
4　駅前の店に行く

5ばん 🔊 A - 07

1 佐藤さん
2 山田さん
3 木村さん
4 中川さん

6ばん 🔊 A - 08

1 ケーキを冷やす
2 生クリームをなべに入れる
3 チョコレートを小さく切る
4 今まで使った道具を片づける

第2回 課題理解

日付	/	/	/
得点	/6	/6	/6

まず質問を聞いてください。それから話を聞いて、問題用紙の1から4の中から、最もよいものを一つえらんでください。

7ばん 🔊 A-09

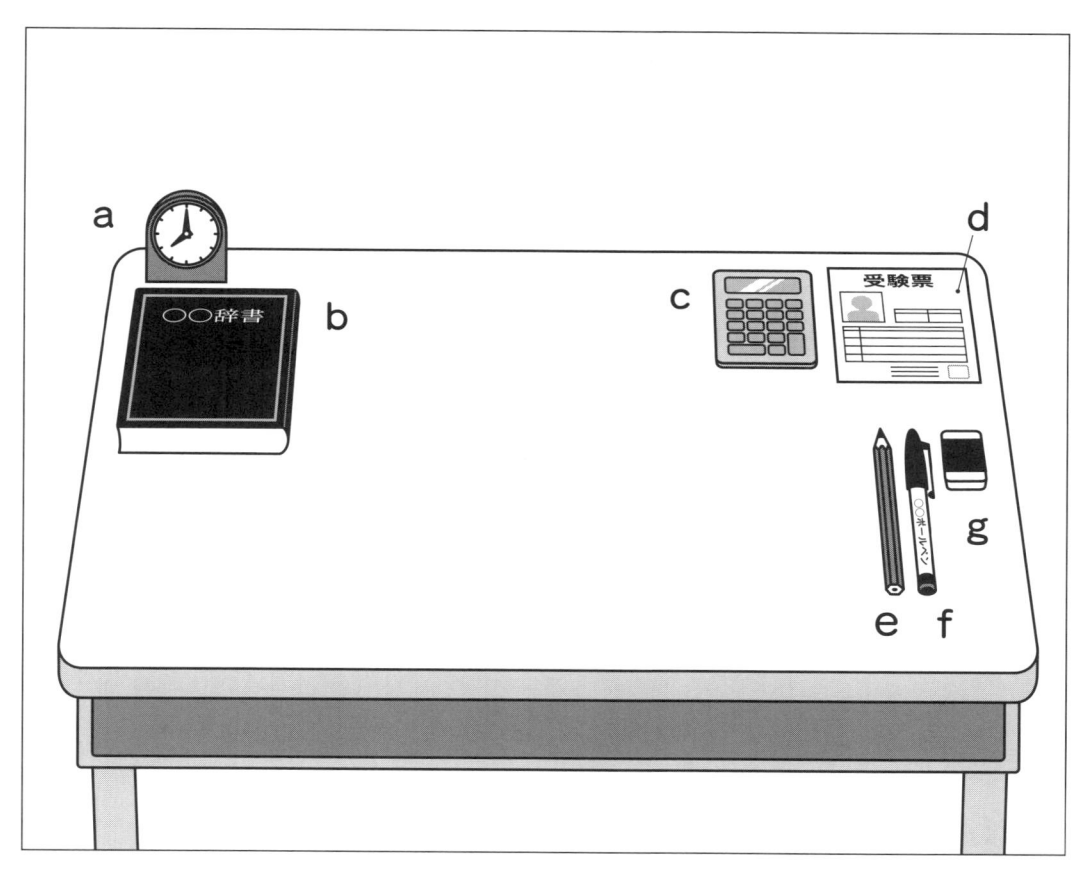

1 b c f
2 b e g
3 a d f g
4 a b c f

8ばん 🔊 A-10

1 商品の並べ方を変える
2 商品の数を減らす
3 お客さんの気持ちを聞く
4 同じ種類の商品を集める

9ばん 🔊 A-11

1 駅の向こうの店
2 ワインの店
3 ラーメン屋
4 コンビニ

10ばん 🔊 A-12

1 カレーの材料とくだもの
2 バターとアイスクリーム
3 肉と野菜とアイスクリーム
4 肉と野菜とバター

11 ばん 🔊 A-13

1　地下鉄
2　地下鉄と緑の電車
3　緑の電車とバス
4　地下鉄とバス

12 ばん 🔊 A-14

1　佐藤さんに書類を渡す
2　課長に発表の資料を見せる
3　資料に今年のデータを入れる
4　課長に連絡する

第3回 課題理解

日付	/	/	/
得点	/6	/6	/6

まず質問を聞いてください。それから話を聞いて、問題用紙の1から4の中から、最もよいものを一つえらんでください。

13 ばん 🔊 A-15

ア 大山部長
イ 田中課長（営業部）
ウ 山田（営業部）
エ 佐藤
オ 中田
カ 青木
キ 西川
ク 木村（南工場）
ケ 鈴木（南工場）

1　ア・イ・ウ・ク・ケ
2　イ・ウ・オ・カ
3　ア・イ・ウ・オ・カ
4　イ・ウ・ク・ケ

14 ばん 🔊 A-16

1 動物ランドへ行く
2 家でパーティーをする
3 おじいさんとおばあさんの家でパーティーをする
4 おじいさんとおばあさんといっしょに出かける

15 ばん 🔊 A-17

1 火曜日の午後6時
2 木曜日の午前9時
3 土曜日の午前9時
4 土曜日の午後6時

16 ばん 🔊 A-18

1 名簿を作る
2 名札を作る
3 会議室へ行く
4 昼ご飯を食べる

17 ばん 🔊 A-19

1　サービスセンターに電話する
2　サービスセンターへ行く
3　駅前の店に行く
4　アルバイトに行く

18 ばん 🔊 A-20

1　新しい住所を書く
2　機械でお金を出す
3　番号の札を取る
4　家から紙を持ってくる

第4回 課題理解

日付	/	/	/
得点	/6	/6	/6

まず質問を聞いてください。それから話を聞いて、問題用紙の1から4の中から、最もよいものを一つえらんでください。

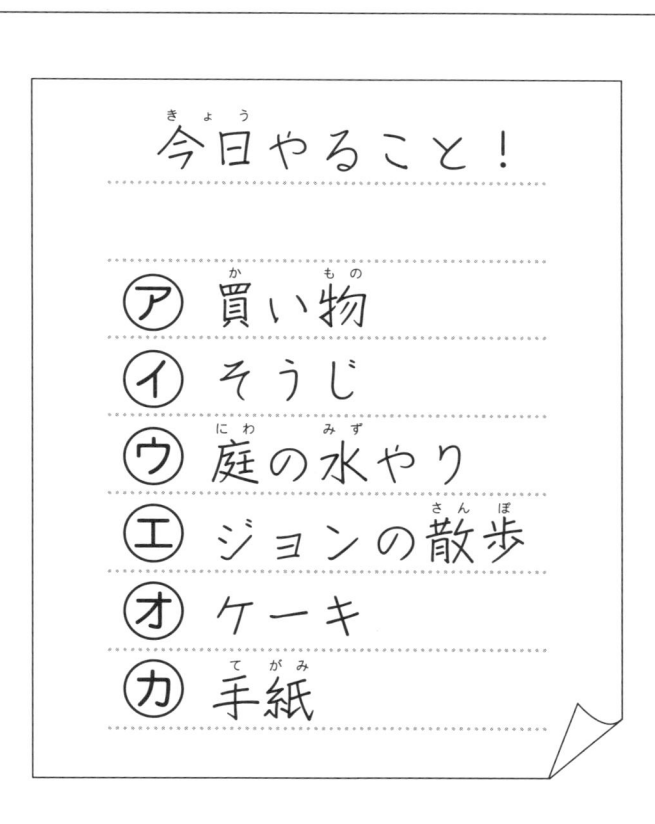

19ばん 🔊 A-21

今日やること！

- ア 買い物
- イ そうじ
- ウ 庭の水やり
- エ ジョンの散歩
- オ ケーキ
- カ 手紙

1　イ・エ・オ
2　ア・ウ・カ
3　ア・ウ・オ
4　ア・オ・カ

20 ばん 🔊 A-22

1　1時に食堂に集まる
2　1時45分にテニスコートに集まる
3　2時にテニスコートに集まる
4　2時に庭に集まる

21 ばん 🔊 A-23

1　ミーティングの場所の確認
2　田中さんへの連絡
3　田中さんへの連絡とコピー
4　コピー

22 ばん 🔊 A-24

1　内科
2　耳鼻科
3　小児科
4　内科と耳鼻科

23 ばん 🔊 A-25

1 コンビニへ行く
2 郵便局へ行く
3 郵便局へ電話する
4 ほかの用事をする

24 ばん 🔊 A-26

1 土を入れ替える
2 日光に当てる
3 土に栄養剤を入れる
4 水をやる回数を減らす

第5回 課題理解

日付	/	/	/
得点	/6	/6	/6

まず質問を聞いてください。それから話を聞いて、問題用紙の1から4の中から、最もよいものを一つえらんでください。

25 ばん 🔊 A - 27

車種	6時間まで(円)	12時間まで(円)	24時間まで(円)	超過料金(円)(1時間ごとに)
乗用車(1000cc)	4,200	5,000	6,500	1,000/h
乗用車(1500cc)	6,800	7,800	9,500	1,500/h
乗用車(2500cc)	9,500	12,000	15,000	2,100/h
ミニバン	7,000	9,500	12,000	1,500/h
RV	10,000	13,000	17,000	2,500/h

1　5,000円
2　7,000円
3　7,800円
4　12,000円

26 ばん 🔊 A-28

1 電池を買いに行く
2 電池と水を買いに行く
3 車を車庫に入れる
4 ふろに水をためる

27 ばん 🔊 A-29

1 飛行機の切符を取る
2 新幹線の切符を取る
3 今度の企画の説明をする
4 会議に出席する

28 ばん 🔊 A-30

1 必要なところを覚える
2 図書室で歴史のまんがの本を借りる
3 図書室で歴史の小説を借りる
4 歴史のまんがの本を買う

29 ばん 🔊 A-31

1 スーパー
2 本屋
3 友だちの家
4 クリーニング屋

30 ばん 🔊 A-32

1 銀行でお金の払い方を聞く
2 コンビニでお金を払う
3 郵便が届くのを待つ
4 もう一度電話をかける

第1回 ポイント理解

日付	/	/	/
得点	/6	/6	/6

まず質問を聞いてください。そのあと、問題用紙を見てください。読む時間があります。それから話を聞いて、問題用紙の1から4の中から、最もよいものを一つえらんでください。

1ばん 🔊 A - 34

1　3,000円
2　7,000円
3　30,000円
4　70,000円

2ばん 🔊 A - 35

1　将来に希望がある会社
2　自分の能力に合った仕事ができる会社
3　どんな仕事でもやらせてもらえる会社
4　自分の能力を伸ばすことができる会社

3ばん 🔊 A - 36

1　正しくない請求書を作った
2　だれにでもあるミスをした
3　ちがう請求書を送った
4　同じまちがいを二度した

4ばん 🔊 A-37

1 運動が好きだから
2 仕事が忙しいから
3 走りたいから
4 太ったから

5ばん 🔊 A-38

1 いつも文句を言うところ
2 自分で会議の準備をしないところ
3 後から文句を言うところ
4 チェックに時間がかかるところ

6ばん 🔊 A-39

1 きらいなものが入っているから
2 好きなものが入っていないから
3 料理の味がよくないから
4 ピリッと辛いから

第2回 ポイント理解

日付	/	/	/
得点	/6	/6	/6

まず質問を聞いてください。そのあと、問題用紙を見てください。読む時間があります。それから話を聞いて、問題用紙の1から4の中から、最もよいものを一つえらんでください。

7ばん 🔊 A-40

1 去年より暑い日が多くて、雨も多い
2 去年ほど暑くないが、夕立がある
3 去年ほど暑くないが、雷が多い
4 去年と同じくらい暑いけれど、雨が少ない

8ばん 🔊 A-41

1 社会に出て勉強をしたいから
2 会社で働くことになったから
3 成績がよくないから
4 おじさんの会社で仕事をするから

9ばん 🔊 A-42

1 シャツが破れているから
2 同じ色のシャツがないから
3 お金を返してくれないから
4 ほかのシャツに取り替えてくれないから

10ばん 🔊 A-43

1 仕事が忙しいこと
2 文句が言えないこと
3 寮が会社から遠くなったこと
4 寮が古くなったこと

11ばん 🔊 A-44

1 色
2 サイズ
3 柄
4 デザイン

12ばん 🔊 A-45

1 部下をきちんと指導する人
2 部下に対してやさしい人
3 部下をよくしかる人
4 いい仕事をする人

第3回 ポイント理解

日付	／	／	／
得点	／6	／6	／6

まず質問を聞いてください。そのあと、問題用紙を見てください。読む時間があります。それから話を聞いて、問題用紙の1から4の中から、最もよいものを一つえらんでください。

13ばん A-46

1　バス
2　飛行機
3　新幹線
4　船

14ばん A-47

1　昼までゆっくり過ごしたい
2　休みの日の時間をむだにしたくない
3　午前中を楽しく過ごすのはもったいない
4　たまには早起きをしよう

15ばん A-48

1　機械が故障したから
2　暗証番号がちがうから
3　カードに傷がついているから
4　注意が足りないから

16 ばん 🔊 A-49

1 当たってもありがたいと感じないから
2 買っても100万円は当たらないから
3 1万円あれば、十分にありがたいから
4 運がよくないと当たらないから

17 ばん 🔊 A-50

1 毎日運動すること
2 夜遅い時間に食べないこと
3 朝早く起きて歩くこと
4 油の多いものは食べないこと

18 ばん 🔊 A-51

1 奨学金がもらえないこと
2 やりたいことがわからないこと
3 試験の成績がよくならないこと
4 専門が決められないこと

第4回 ポイント理解

日付	／	／	／
得点	／6	／6	／6

まず質問を聞いてください。そのあと、問題用紙を見てください。読む時間があります。それから話を聞いて、問題用紙の1から4の中から、最もよいものを一つえらんでください。

19ばん 🔊 A-52

1 節約の方法を考える
2 来月の目標を決める
3 残業を減らす方法を考える
4 仕事の能率を上げる方法を考える

20ばん 🔊 A-53

1 サッカーについての娘の考え方
2 娘が第三高校に行きたがっていること
3 将来の問題についての娘の考え方
4 娘が第三高校を希望する理由がわからないこと

21ばん 🔊 A-54

1 優勝した
2 2位だった
3 3位だった
4 ゴールの前でトップになった

22 ばん 🔊 A-55

1　外国語で上手にコミュニケーションができる人
2　日本語で上手にコミュニケーションができる人
3　外国語でも日本語でもコミュニケーションができる人
4　英語や中国語やスペイン語ができる人

23 ばん 🔊 A-56

1　部屋が新しくてきれいだから
2　買い物に便利だから
3　野菜を作る夢を見たから
4　畑が借りられるから

24 ばん 🔊 A-57

1　先輩がきびしいから
2　練習が大変だから
3　留学するから
4　時間がないから

第5回 ポイント理解

日付	／	／	／
得点	／6	／6	／6

まず質問を聞いてください。そのあと、問題用紙を見てください。読む時間があります。それから話を聞いて、問題用紙の1から4の中から、最もよいものを一つえらんでください。

25 ばん 🔊 B-01

1 駅が大きくなって、緑が増えた
2 便利になって、自然環境がよくなった
3 人が増えて、緑が減った
4 人が減って、自然環境が変わった

26 ばん 🔊 B-02

1 電車の中で楽しめること
2 電話とメールができること
3 きれいな写真が撮れること
4 役に立つ情報が多いこと

27 ばん 🔊 B-03

1 景気が悪いから
2 ボーナスが少ないから
3 夫婦の関係がよくないから
4 世の中がどうなるかわからないから

28 ばん 🔊 B-04

1　スポーツ
2　食べ物
3　祭り
4　歌舞伎

29 ばん 🔊 B-05

1　町の写真を撮ることができるから
2　新しい楽しみを見つけたいと思ったから
3　自転車はいつでもどこでも止めることができるから
4　経済的で、体にもいいから

30 ばん 🔊 B-06

1　説明がわかりにくい点
2　新しさのある商品ではない点
3　消費者が驚く点
4　企画書の書き方が難しい点

第1回 概要理解

日付	／	／	／
得点	／3	／3	／3

問題用紙に何もいんさつされていません。この問題は、ぜんたいとしてどんなないようかを聞く問題です。話の前に質問はありません。まず話を聞いてください。それから、質問とせんたくしを聞いて、1から4の中から、最もよいものを一つえらんでください。

1ばん 🔊 B-08 〔 1　2　3　4 〕

音声を聞いて（　）に書きなさい。

M：ご家族でゆっくりと①（　　　　　　　　　　）広い②（　　　　　　　　　　　　　　）。寒い季節にぴったりの温かくておいしいお食事も③（　　　　　　　　　　　）。みなさま、ご家族でどうぞ。

2ばん B-09   〔 1 2 3 4 〕

音声を聞いて（　）に書きなさい。

M：このかばん、インターネットショッピングで買ったんだ。いいだろ？

F：えー、でもインターネットで買い物するのって、ちょっと危なくない？　商品を①（　　　　　　　　）ことができないし。

M：でも、便利だよ。簡単に②（　　　　　　　）し、③（　　　　　　　）こともできるし……。店員にあれこれ④（　　　　　　　）し。出かけなくても⑤（　　　　　　　　）からね。

F：でも、店だったらすぐに⑥（　　　　　　　　　）、商品を送る⑦（　　　　　　　）し。

M：まあね。どの方法にもいいところ悪いところがあるからね。上手に使えば、やっぱり⑧（　　　　　　　　）と思うよ。

F：⑨（　　　　　　　）、注意は必要よ。

3ばん 🔊 B-10 〔 1 2 3 4 〕

音声を聞いて（　）に書きなさい。

F：これが新しく発売するケーキです。ふつうパンやケーキには①（　　　　　　）が使われますが、このケーキには②（　　　　　）を使いました。米粉って、ご存じですか。③（　　　　　　　　）です。食べたときに④（　　　　　　　　　）がします。いろいろな料理に⑤（　　　　　　　）、小麦粉よりも⑥（　　　　　　　）と言われています。日本では、米粉は昔からせんべいやだんごなどの⑦（　　　　　　）に使われてきました。最近ではパンや麺など、⑧（　　　　　　　　　　　）ようになっています。私は今、⑨（　　　　　　　　）をしているんです。

第2回 概要理解

日付	/	/	/
得点	/3	/3	/3

問題用紙に何もいんさつされていません。この問題は、ぜんたいとしてどんなないようかを聞く問題です。話の前に質問はありません。まず話を聞いてください。それから、質問とせんたくしを聞いて、1から4の中から、最もよいものを一つえらんでください。

4ばん 🔊 B-11　〔 1　2　3　4 〕

音声を聞いて（　）に書きなさい。

M：最近よく図書館に行っているそうだね。①（　　　　　　）？

F：②（　　　　　　　）んだけど……。

M：あそこの図書館、③（　　　　　　　）が多いとか？

F：めずらしい本が多いかどうかは④（　　　　　　　）けど。実はね。

M：え、何？

F：あそこの2階の⑤（　　　　　　）、すごく⑥（　　　　　　　）のよ。もちろん勉強にぴったりの⑦（　　　　　　　）もちゃんとあるし。本を読んだりレポートを書いたりするのに⑧（　　　　　　　）に飲むコーヒーは⑨（　　　　　　　）。

M：そうか。ぼくも一度行ってみようかな。

5ばん 🔊 B-12　　〔　1　2　3　4　〕

音声を聞いて（　）に書きなさい。

M：明日、①（　　　　　　　）にここに集まってください。簡単に

②（　　　　　　　）から、みんなでいっしょにコンサート

会場に③（　　　　　　　）。田中さんと川田さんは会場の入り口

で④（　　　　　　　）をお願いします。会場の準備はだいたい

⑤（　　　　　　　）から、明日は会場に着いたらそれぞれ⑥（

　　　）をやってください。何か問題があったときには、すぐに

私に連絡すること。特に⑦（　　　　　　　）はしっかりしてお

いてください。明日は絶対に成功させましょう。

6ばん　🔊 B-13　〔　1　2　3　4　〕

音声を聞いて（　）に書きなさい。

F：それでは、木村さんのご趣味についてうかがいます。木村さんはウォーキングをなさっているそうですね。

M：ええ、2年前30年勤めた①（　　　　　　　）、何か新しいことを始めようと思って、②（　　　　　　　）を始めました。初めは近所を一人で③（　　　　　　　）程度だったんですが、そのうちよく顔を合わせる人たちと④（　　　　　　　）ようになり、その人たちとウォーキングの⑤（　　　　　　　）ことになりました。今では会員も増えて、月に5、6回20人前後がいっしょに近所の公園の周りを4、5キロ歩いています。そこで仲間と⑥（　　　　　　　）が、今では私の⑦（　　　　　　　）になっています。

第3回 概要理解

日付	/	/	/
得点	/3	/3	/3

問題用紙に何もいんさつされていません。この問題は、ぜんたいとしてどんなないようかを聞く問題です。話の前に質問はありません。まず話を聞いてください。それから、質問とせんたくしを聞いて、1から4の中から、最もよいものを一つえらんでください。

7ばん 🔊 B-14　　〔　1　2　3　4　〕

音声を聞いて（　）に書きなさい。

F：今日は①（　　　　　　　）。日本のあちこちで雪が②（　　　　　　　）が、今朝の富士山はきれいに晴れました。こちらをご覧ください。ちょうど富士山の上から太陽が③（　　　　　　　）ね。これは、④（　　　　　　　　）が美しく光っているようなので、「ダイヤモンド富士」と呼ばれています。あ、光が⑤（　　　　　　　）ね。冬のこの時期に⑥（　　　　　　　）ものです。⑦（　　　　　　　）。今朝も「ダイヤモンド富士」の写真を撮るために、こんなに多くの⑧（　　　　　　　）が集まりました。

8ばん B-15 〔 1 2 3 4 〕

音声を聞いて（　）に書きなさい。

F：あのう、大家の鈴木ですが……。

M：はい。

F：あのう、ちょっと言いにくいんですが……。最近、①（　　　　　　　　　　　）でしょう？

M：えっ。テレビですか。②（　　　　　　　　　　　）よ。

F：実はね、ほかの部屋の人から、③（　　　　　　　　　　　）言われているんだけど……。いえね、テレビを見ちゃいけないって④（　　　　　　　　　　　）、ただ、もう少し、⑤（　　　　　　　　　　　）って思って……。

M：あっ、もしかして……。実は⑥（　　　　　　　　　　　）んで、夜、⑦（　　　　　　　　　　　）んです。それで⑧（　　　　　　　　　　　）かもしれません。すみません……。

F：そうでしたか。⑨（　　　　　　　　　　　）んですね。

M：申し訳ありませんでした。これからは気をつけます。

9ばん 🔊 B-16 〔 1 2 3 4 〕

音声を聞いて（　）に書きなさい。

M：あのう、すみません。あそこに書いてある「さわやかスタッフ」って何ですか。

F：あ、はい。こちらの市役所には、「さわやかスタッフ」が①（　　　　　　　　）。市民のみなさまは、いろいろなご用で市役所へ来られますが、手続きをする前に②（　　　　　　　　）に必要なことを書いていただかなければならなかったり、③（　　　　　　　　　）があったりします。「さわやかスタッフ」は、市役所に来られたみなさまが④（　　　　　　　　　　　）ように、ご案内をしたり、⑤（　　　　　　　　）します。

第4回 概要理解

問題用紙に何もいんさつされていません。この問題は、ぜんたいとしてどんなないようかを聞く問題です。話の前に質問はありません。まず話を聞いてください。それから、質問とせんたくしを聞いて、1から4の中から、最もよいものを一つえらんでください。

10ばん　B-17　〔　1　2　3　4　〕

音声を聞いて（　）に書きなさい。

M：すみません。「だれにもわかる世界の経済」という①（　　　　　　　　　　）。

F：あ、すみません。先週まであったんですが、もう②（　　　　　　　　　　）んです。

M：え、そうなんですか。

F：また③（　　　　　　　　）に入ってくる予定ですけど。

M：う～ん、来週か再来週か。困ったなあ。再来週が④（　　　　　　　　　　）なんです。⑤（　　　　　　　）には無理ですか。

F：そうですね。⑥（　　　　　　　　　　）、お知らせしましょうか。

M：そうですか。だめだったら、レポートのしめ切り、⑦（　　　　　　　　　　　　）んで、よろしくお願いします。

11ばん B-18　〔　1　2　3　4　〕

音声を聞いて（　）に書きなさい。

F：そうなのよ、私もね、昨日(きのう)の夜、聞いたばかりなの。主人も①（　　　　　　）らしいけど、今はずっと②（　　　　　　　　）仕事ができるって言って喜(よろこ)んでいるわ。でも急でびっくりしちゃった。主人は今月の終わりに③（　　　　　　）行って、私と子どもたちも来月にはここを④（　　　　　　　）んですって。まあ、住むところは会社が⑤（　　　　　　）らしいし、⑥（　　　　　）みたいだから、あまり⑦（　　　　　　　　）んだけど……。⑧（　　　　　　　）。下の子は小学校の４年生、上の子が中学２年生で、⑨（　　　　）のクラブとか高校の⑩（　　　　）とか、いろいろあって、⑪（　　　　　　　）なのよね。

12 ばん　B-19　〔　1　2　3　4　〕

音声を聞いて（　）に書きなさい。

M：お酒は①（　　　　　　）、心も体も楽になって②（

）ものです。では、③（

）楽しい時間を過ごせるのでしょうか。まず、笑いながら

④（　　　　　　　　　　）。そして何かを⑤（

）。⑥（　　　　　　　　）のは胃に悪いです。

⑦（　　　　　　　　　　）、お酒も料理ももっとおいしく

なります。そして、何より大切なのは、⑧（　　　　　　）こと

です。⑨（　　　　　　　　　　）と体の調子を悪くします。

「おいしい料理を食べながら、ゆっくり酒を飲む」、これが⑩（

）です。

第5回 概要理解

日付	/	/	/
得点	/3	/3	/3

問題用紙に何もいんさつされていません。この問題は、ぜんたいとしてどんなないようかを聞く問題です。話の前に質問はありません。まず話を聞いてください。それから、質問とせんたくしを聞いて、1から4の中から、最もよいものを一つえらんでください。

13ばん 🔊 B-20　　〔　1　2　3　4　〕

音声を聞いて（　）に書きなさい。　　　　　　　　　　　聞き取りヒント

M：昨日の夜から降り続いている雨は①（　　　　　　　）、明日は

②（　　　　　　　）でしょう。③（　　　　）、この天気も

④（　　　　　　）、明後日の午後からは⑤（　　　　　　）

でしょう。週末は気温が下がると予想されますので、⑥（

　　　　　　　　）。

14 ばん 🔊 B-21　　〔　1　2　3　4　〕

音声を聞いて（　）に書きなさい。

F：山本さん、ヨーロッパ旅行、どうだった？

M：①（　　　　　　　　　）。旅行会社のツアーで、10人でいっしょに行ったんだけどね。

F：感じのよくない人がいたの？

M：いや、みんな②（　　　　　　　　　　）よ。年齢も仕事もいろいろだったけど、家族みたいに③（　　　　　　　　　）旅行したよ。

F：じゃあ、問題ないじゃない。

M：いや、それが問題なんだよ。家族みたいにぼくのことを④（　　　　　　　　　）んだ。

F：え、どういうこと？

M：空港で参加者が集まったときに名簿が配られたんだけど、⑤（　　　　　　　　　）、誕生日とか趣味とか、仕事とか、いろいろ書いてあるんだ。

F：でも、それは山本さんが教えたからでしょ？

M：確かに旅行の申し込みのあとにアンケートですって言われて書いたけど、まさかみんなに⑥（　　　　　　　　　）よ。何のことわりもなしに配るなんて。

F：そうやってみんなに配るためにアンケートをするって書いてあったはずよ。

M：ただ書いておくだけじゃ気がつかない人だっているだろう？　第一、旅行するのにどうしてそんな個人的なことが⑦（　　　　　　　　　）。ぼくには理解できないね。

F：みんなが楽しく旅行できるように、旅行会社の人が考えたんだと思うけどな。

15 ばん　B-22　〔　1　2　3　4　〕

音声を聞いて（　）に書きなさい。

M：こちらをご覧ください。新しい商品の「カラフルバランス」でございます。毎日の生活を変えずにやせたいという主婦の皆様に喜んでいただけると思います。①（　　　　　）いつも通り②（　　　　　）だけで、足も腰もすっきりします。③（　　　　　）をご覧ください。少し④（　　　　　）ね。最初は⑤（　　　　　）と思われるかもしれませんが、⑥（　　　　　）足のうらにぴったりついてくるので、とても楽に、気持ちよく歩けます。いつも通り⑦（　　　　　）だけでできる⑧（　　　　　）、いかがですか。色は全部で10色です。お好きな色をお選びください。

第6回 概要理解

日付	/	/	/
得点	/3	/3	/3

N3 聴解

問題用紙に何もいんさつされていません。この問題は、ぜんたいとしてどんなないようかを聞く問題です。話の前に質問はありません。まず話を聞いてください。それから、質問とせんたくしを聞いて、1から4の中から、最もよいものを一つえらんでください。

16 ばん B-23 〔 1 2 3 4 〕

音声を聞いて（　）に書きなさい。

F：みなさんも知っていると思いますが、私の授業では試験は行いません。①（　　　　　　　）成績をつけます。ただし、インターネットで見つけた文章を②（　　　　　　　）、そのままレポートに使う学生も多いようですが、そんなレポートは③（　　　　　　　）。こう言っても、④（　　　　　　　）わからなければだいじょうぶだと思っている人はいませんか。実は、⑤（　　　　　）のですよ。なぜかというと、いつも何人もの学生が⑥（　　　　　　　）を出すからです。同じところから文章を⑦（　　　　　　　）、同じレポートになりますね。私はみなさんが私の授業で⑧（　　　　　　　）を知りたいのです。いいですか。まず、ちゃんと授業を受けること。そして、よく⑨（　　　　　　　）。考えない人は学生とは言えませんよ。

17 ばん　B-24　〔　1　2　3　4　〕

音声を聞いて（　）に書きなさい。

F：うわー、きれい。①（　　　　　　　　）と町中（まちじゅう）が見られて、いいわね。

M：ほら、②（　　　　　　）が今日泊（と）まるホテルだよ。

F：へえ。③（　　　　　）建物（たてもの）ね。④（　　　　　　）とどっちが高いかな。

M：それはもちろん⑤（　　　　　　）よ。日本一高いビルなんだから。

F：ホテル、⑥（　　　　　　　　）だったらいいなあ。ながめがいいから。

M：だいじょうぶ。あのビルは⑦（　　　　　　　　　）がホテルなんだ。

F：じゃあ、景色（けしき）は絶対（ぜったい）だいじょうぶね。

M：そう。⑧（　　　　　）にはレストランもあるから、⑨（　　　　　　　　　）。

F：へえ。楽しみね。早く行きましょう。⑩（　　　　　　　　）はあっちよ。

18 ばん　B-25　　〔　1　2　3　4　〕

音声を聞いて（　）に書きなさい。

F：みなさんにお知らせします。来月は毎週水曜日の午後、①（　　　　　　　　　　　　）。研修は、4つのグループに分かれて行います。今、②（　　　　　　　　　）をメールで送りましたので、自分のグループと研修の時間と場所を③（　　　　　　　　　）ください。もし参加できなくなった場合は、田中さんか私にメールで連絡してください。研修の内容は④（　　　　　　　　　　　）のに知らなければいけないことばかりです。第一回目は⑤（　　　　　　　）について研修する予定です。みなさんは⑥（　　　　　　　　　）ですから、先輩が電話をかけたり、受けたりしているときにどんな話し方をしているかよく聞いておいてください。

第7回 概要理解

問題用紙に何もいんさつされていません。この問題は、ぜんたいとしてどんなないようかを聞く問題です。話の前に質問はありません。まず話を聞いてください。それから、質問とせんたくしを聞いて、1から4の中から、最もよいものを一つえらんでください。

19ばん　B-26　〔　1　2　3　4　〕

音声を聞いて（　）に書きなさい。

M：この①（　　　　　　　　）の今年の第1位は、やはり夏に来た②（　　　　　　）でした。ここ10年の中ではもっとも大きい台風で、多くの方が亡くなりました。次に多かったのが、オリンピックでの③（　　　　　　　）です。マラソン、サッカーなどで④（　　　　　）すばらしい成績を残しました。第3位は世界でいちばん計算が速いスーパーコンピューターが⑤（　　　　　　　）ことです。我が国の技術の高さを⑥（　　　　　　）ことができて、うれしいという意見でした。今年は⑦（　　　　　　　　）が多かったのですが、その暗い気持ちを元気にする⑧（　　　　　　）が人々の心に⑨（　　　　　　）と言えます。

20 ばん 🔊 B-27 〔 1 2 3 4 〕

音声を聞いて（　）に書きなさい。

M：テニスなんて①（　　　　　　　）……。学生のとき以来だよ。さあ、②（　　　　　　）。

F：③（　　　　　　）。④（　　　　　　　）、けがをしやすいし、体によくないよ。

M：だいじょうぶだよ。早くやろうよ。

F：だめだめ。はい、やって。⑤（　　　　　　）軽く体を動かすといいのよ。体温が上がって、体がやわらかくなるから。そうすると、けがも少なくなるのよ。次は、⑥（　　　　　　　　）。⑦（　　　　　　　）。けがをしたスポーツ選手が⑧（　　　　　　　）ときの方法よ。

M：なるほど……。⑨（　　　　　　）体も温まってくるね。

F：スポーツが⑩（　　　　　　）10分くらいこうやって⑪（　　　　　　）といいのよ。次の日に体が痛くならないように。

M：ふうん。わかった。じゃあ、そろそろ⑫（　　　　　　　）！

21ばん B-28　〔　1　2　3　4　〕

音声を聞いて（　）に書きなさい。

F：仕事で失敗をすることはだれにでもあります。私は、①（　　　　　　　）どうするかが大切だと思います。まず、失敗して迷惑をかけた②（　　　　　　　）ことが大切です。そして、二度と③（　　　　　　　）ようにするにはどうしたらいいか④（　　　　　　　）ことです。失敗したことを反省してしっかりと⑤（　　　　　　　）、まわりの人もそれを⑥（　　　　　　　）はずです。そのあとは、失敗したことを⑦（　　　　　　　）ください。失敗を⑧（　　　　　　　）と考えれば、その後の仕事に⑨（　　　　　　　）ことができるでしょう。

第8回 概要理解

問題用紙に何もいんさつされていません。この問題は、ぜんたいとしてどんなないようかを聞く問題です。話の前に質問はありません。まず話を聞いてください。それから、質問とせんたくしを聞いて、1から4の中から、最もよいものを一つえらんでください。

22ばん　B-29　〔 1　2　3　4 〕

音声を聞いて（　）に書きなさい。

M：みなさん、消費税を知っていますね。買い物をしたときに払う税金です。今、政府はこの消費税を①（　　　　　　）と言っています。しかし、消費税を上げることに反対している人は賛成の人の②（　　　　　　）。みなさんはどうですか。私は、税金を上げることは私たちの生活をよくするために③（　　　　　　　　　）と思っています。しかし、④（　　　　　　）がこんなに多くては、上げることはできません。政府は、税金を増やしたら生活がどのようによくなるのか、それをしっかり⑤（　　　　　　　　　）べきです。消費税を上げる目的が理解できれば⑥（　　　　　　　　）でしょう。

23 ばん 🔊 B-30 〔 1 2 3 4 〕

音声を聞いて（　）に書きなさい。

F：これがいいわ。①（　　　　　　　　　　）し。ね、どう？

M：ちょっと②（　　　　　　　　）んじゃない？

F：うん。最近のはみんなこれくらい細いのよ。

M：そうかあ。でも、細くて③（　　　　　　）けど、④（　　　　　　　　　）。危なくないのかな。

F：だいじょうぶ。これにしよう。

M：⑤（　　　　　　　　　　）はいらないの？

F：うん。必要ならあとでつけるわ。

24ばん 〔 1 2 3 4 〕

音声を聞いて（　）に書きなさい。

F： 先生、将来海外で仕事をしたいと思っている若者も多いと思いますが、海外で仕事をするときに大切なことはどんなことでしょうか。

M： そうですね。今までは、「世界で仕事ができる人は、①（　　　　　　　　　　　　）」と言われてきました。しかし、実際に②（　　　　　　　　　　　　）場合は、英語ができるだけではうまくいきません。③（　　　　　　　　　　　　）が必要です。その国の言葉で話せば、④（　　　　　　　　　　　　）を引き出すことができるからです。そのため、多くの会社が英語だけでなく⑤（　　　　　　　　　　　　）社員を求めるようになりました。みなさん、これからは、自分の国の言葉、英語、そして、⑥（　　　　　　　　　　　　）が必要です。

第9回 概要理解

日付	/	/	/
得点	/3	/3	/3

問題用紙に何もいんさつされていません。この問題は、ぜんたいとしてどんなないようかを聞く問題です。話の前に質問はありません。まず話を聞いてください。それから、質問とせんたくしを聞いて、1から4の中から、最もよいものを一つえらんでください。

25 ばん 🔊 B-32 〔 1　2　3　4 〕

音声を聞いて（　）に書きなさい。

F：いやあ、すばらしい成績で勝ちましたね。優勝、おめでとうございます。キャプテンとして、いかがですか。

M：ありがとうございます。新しい監督に替わって、①（　　　　　　　　　　）をしてきましたし、海外から戻ってきた選手もすぐにその練習に慣れて②（　　　　　　　　　　）。体調の悪い選手も③（　　　　　　　　　　）。まあ、いい条件がそろったから④（　　　　　　　　　　）でしょう。⑤（　　　　　　　　　　）、先に女子チームが優勝したので、「おれたちも優勝するぞ。」という⑥（　　　　　　　　　　）んです。それが大きいと感じています。

26 ばん　B-33　〔　1　2　3　4　〕

音声を聞いて（　）に書きなさい。

M（上司）：田中君、だめじゃないか。ここの①（　　　　　　　　）よ。ちゃんと②（　　　　　　　　　　　）んじゃないか。

F（田中）：はい。申し訳ありません。

M：どうして、君はいつも③（　　　　　　　）んだ。④（　　　　　　　　）があったり、⑤（　　　　　　　　　）があったりしたら、私や山口君に⑥（　　　　　　　　）と困るよ。結局、大変なことになるんだから。

F：はい。

27 ばん 🔊 B-34　　〔　1　2　3　4　〕

音声を聞いて（　）に書きなさい。

M：毎日寒いですね。この季節はあまり窓を開けないので、①（　　　　　）は汚れたままですね。こちらは、今の季節におすすめの商品です。このボタンを押すだけで、お部屋の空気の中のほこりなどの汚れを取って、②（　　　　　　　）してくれるんです。窓を③（　　　　　　　）ので、お部屋は暖かいまま。④（　　　　　　）効果もあるので、⑤（　　　　　　　）うちにもおすすめです。そして、なんと⑥（　　　　　）が一日約3円！これなら一日中つけていても⑦（　　　　　　）ね。ご注文はお電話で。電話番号はこちらです！ご注文、お待ちしています。

第10回 概要理解

問題用紙に何もいんさつされていません。この問題は、ぜんたいとしてどんなないようかを聞く問題です。話の前に質問はありません。まず話を聞いてください。それから、質問とせんたくしを聞いて、1から4の中から、最もよいものを一つえらんでください。

28 ばん B-35 〔 1 2 3 4 〕

音声を聞いて（　）に書きなさい。

F：ゲームセンターと言えば若者が集まる場所ですが、最近①（　　　　　　）も見られるようになってきました。お年寄りに②（　　　　　　）ゲームは、同じ絵のカードをそろえる「スロットマシーン」や、動物の人形をハンマーでたたく「もぐらたたき」などだそうです。③（　　　　　　）ことによってお年寄りの④（　　　　　　）という調査結果もあります。⑤（　　　　　　）ゲームセンターを利用するお年寄りはこれから⑥（　　　　　　）です。

29 ばん　B-36　〔　1　2　3　4　〕

音声を聞いて（　）に書きなさい。

M：もしもし、おはよう。中村だけど。

F：①（　　　　　　　　）、おはようございます。

M：②（　　　　　　　　　　　）、ちょっと③（　　　　　　　　　　）。

F：あ、電車の事故ですか。

M：いや、ちょっと④（　　　　　　　　　　）。今、⑤（　　　　　　　　　　　　　　）ところなんだ。

F：そうなんですか。

M：⑥（　　　　　　　　　　　　　）なんで、どうしても⑦（　　　　　　　　　　　　　　）。それで、申し訳ないんだけど、9時半からの⑧（　　　　　　　　　　　　）してもらいたいんだ。

F：はい、わかりました。

M：悪いけど、ほかの人たちにも⑨（　　　　　　　　　）もらえないかな。

F：はい、お伝えします。

M：じゃ、よろしく頼むよ。

30 ばん 🔊 B-37　　〔　1　2　3　4　〕

音声を聞いて（　）に書きなさい。

M：よう、みんな、練習、①（　　　　　　　）？

F：あ、②（　　　　　）、こんにちは。③（　　　　　　　）。どうぞ、こちらへ。

M：いや、すぐ帰るから。ちょっと図書館に本を返しに来たんだけど、掲示板に④（　　　　　　　　　　）があったから……。

F：はい。⑤（　　　　　　　　）なんです。

M：じゃあ、今は最後の仕上げだね。がんばれよ。

F：はい。先輩は、忙しいんですか。

M：ああ、文学部は⑥（　　　　　　　　）論文を書かされるからね。

F：私もサークルに⑦（　　　　　　　）のはやっぱり⑧（　　　　　　　　　　　）。

M：うん、ぼくももう一度君たちと⑨（　　　　　　　　　　）よ。

第1回 発話表現

日付	/	/	/
得点	/4	/4	/4

えを見ながら質問を聞いてください。やじるし（➡）の人は何と言いますか。1から3の中から、最もよいものを一つえらんでください。

1ばん 🔊 B-39　　〔　1　2　3　〕

2ばん 🔊 B-40　　〔　1　2　3　〕

3ばん　B-41　〔　1　2　3　〕

4ばん　B-42　〔　1　2　3　〕

第2回 発話表現

日付	/	/	/
得点	/4	/4	/4

えを見ながら質問を聞いてください。やじるし（➡）の人は何と言いますか。1から3の中から、最もよいものを一つえらんでください。

5ばん B-43　　〔　1　2　3　〕

6ばん B-44　　〔　1　2　3　〕

7ばん 🔊 B-45 〔 1 2 3 〕

8ばん 🔊 B-46 〔 1 2 3 〕

第3回 発話表現

日付	/	/	/
得点	/4	/4	/4

えを見ながら質問を聞いてください。やじるし（➡）の人は何と言いますか。1から3の中から、最もよいものを一つえらんでください。

9ばん　B-47　〔　1　2　3　〕

10ばん　B-48　〔　1　2　3　〕

11ばん 🔊 B-49 　　〔　1　2　3　〕

12ばん 🔊 B-50 　　〔　1　2　3　〕

第1回 即時応答

日付	／	／	／
得点	／9	／9	／9

問題用紙に何もいんさつされていません。まず文を聞いてください。それから、そのへんじを聞いて、1から3の中から、最もよいものを一つえらんでください。

1番 B-52 〔 1 2 3 〕

2番 B-53 〔 1 2 3 〕

3番 B-54 〔 1 2 3 〕

4番 B-55 〔 1 2 3 〕

5番 B-56 〔 1 2 3 〕

6番 B-57 〔 1 2 3 〕

7番 B-58 〔 1 2 3 〕

8番 B-59 〔 1 2 3 〕

9番 B-60 〔 1 2 3 〕

第2回 即時応答

日付	/	/	/
得点	/9	/9	/9

問題用紙に何もいんさつされていません。まず文を聞いてください。それから、そのへんじを聞いて、1から3の中から、最もよいものを一つえらんでください。

10番 B-61　〔　1　2　3　〕

11番 B-62　〔　1　2　3　〕

12番 B-63　〔　1　2　3　〕

13番 B-64　〔　1　2　3　〕

14番 B-65　〔　1　2　3　〕

15番 B-66　〔　1　2　3　〕

16番 B-67　〔　1　2　3　〕

17番 B-68　〔　1　2　3　〕

18番 B-69　〔　1　2　3　〕

第3回 即時応答

日付	／	／	／
得点	／9	／9	／9

問題用紙に何もいんさつされていません。まず文を聞いてください。それから、そのへんじを聞いて、1から3の中から、最もよいものを一つえらんでください。

19番 B-70　〔　1　2　3　〕

20番 B-71　〔　1　2　3　〕

21番 B-72　〔　1　2　3　〕

22番 B-73　〔　1　2　3　〕

23番 B-74　〔　1　2　3　〕

24番 B-75　〔　1　2　3　〕

25番 B-76　〔　1　2　3　〕

26番 B-77　〔　1　2　3　〕

27番 B-78　〔　1　2　3　〕

第4回 即時応答

日付	／	／	／
得点	／9	／9	／9

問題用紙に何もいんさつされていません。まず文を聞いてください。それから、そのへんじを聞いて、1から3の中から、最もよいものを一つえらんでください。

28番　🔊 B-79　　〔　1　2　3　〕

29番　🔊 B-80　　〔　1　2　3　〕

30番　🔊 B-81　　〔　1　2　3　〕

31番　🔊 B-82　　〔　1　2　3　〕

32番　🔊 B-83　　〔　1　2　3　〕

33番　🔊 B-84　　〔　1　2　3　〕

34番　🔊 B-85　　〔　1　2　3　〕

35番　🔊 B-86　　〔　1　2　3　〕

36番　🔊 B-87　　〔　1　2　3　〕

第5回 即時応答

日付	／	／	／
得点	／9	／9	／9

問題用紙に何もいんさつされていません。まず文を聞いてください。それから、そのへんじを聞いて、1から3の中から、最もよいものを一つえらんでください。

37番 🔊 B-88　　〔 1　2　3 〕

38番 🔊 B-89　　〔 1　2　3 〕

39番 🔊 B-90　　〔 1　2　3 〕

40番 🔊 B-91　　〔 1　2　3 〕

41番 🔊 B-92　　〔 1　2　3 〕

42番 🔊 B-93　　〔 1　2　3 〕

43番 🔊 B-94　　〔 1　2　3 〕

44番 🔊 B-95　　〔 1　2　3 〕

45番 🔊 B-96　　〔 1　2　3 〕

読　解 【Reading】

内容理解・短文　第1回 - 第2回
内容理解・中文　第1回 - 第2回
内容理解・長文　第1回 - 第2回
情報検索　　　　第1回 - 第2回

第1回 内容理解 短文

日付	/	/	/
得点	/4	/4	/4

つぎの文章を読んで、質問に答えなさい。答えは、1・2・3・4から最もよいものを一つえらびなさい。

1番

　ここは古くから人々に愛されてきた桜の名所です。7世紀ごろに、この山の神社に来る人々によって桜の木が植えられ、それからずっと神の木として大切に守られてきました。春になると山が三万本の桜の花でいっぱいになる美しさは、言葉では表すことができません。また、花のさく時期に差があるのが、ここの桜の特徴です。毎年4月はじめごろに山の下から順番にさき始め、4月半ばに最も美しい時期になります。一番高いところの花が満開になる20日過ぎには、山の下のほうの木は、もうすっかり花が散って、葉だけになっています。

問　ここの桜について正しいものはどれか。
1　山全体の桜が一度にさく。
2　4月20日ごろ桜の花は全部散ってしまう。
3　桜の花が見られる期間が長い。
4　花がさく時期がはっきりわからない。

解き方のヒント

文章を読んで、（　　　）にことばを書いてください。

①この山の桜の花は（　　　　　　）が同じではない。

②4月のはじめに（　　　　　）の桜がさき始める。

③山が一番きれいになる時期は（　　　　　　）だ。

④山の（　　　　　　　　）の桜の花が満開になるのは4月20日過ぎだ。
　そのころには山の（　　　）のほうの桜の花は散って葉になる。

2番

　私が結婚したばかりのころの話である。仕事の後で同僚と飲みに行ったが、遅くなり、帰りの電車がなくなってしまった。しかたなくタクシーに乗って帰ることにした。行き先を言うと、運転手は私が急いでいると見たのか「高速道路で行きましょうか。」と聞いた。かなり酔っていた私はよく考えずに「そうしてくれ。」と答えた。いつの間にかタクシーの中で寝てしまったようで、気がつくと家の中にいて、目の前に怒った妻の顔があった。妻が払ったタクシー料金は、長距離のうえに高速道路代まで加わって、とんでもない額だったらしい。妻はその後も「安月給なのに……」と文句を言い続けた。

問　この文章を書いた人の妻が怒ったのはどうしてか。

1　高いタクシー料金を払ったから
2　同僚とお酒を飲みに行ったから
3　タクシーの中で寝てしまったから
4　給料が安いから

文章を読んで、（　　　）にことばを書いてください。　　　解き方のヒント

①私は同僚と飲みに行って遅くなり、（　　　　　　）で帰った。

②タクシーの運転手は（　　　　　　）を利用した。

③タクシーの中で（　　　　　　）。

④気がついたら家の中にいて、妻が（　　　　　　）。

⑤（　　　）がタクシーの料金を払った。

⑥タクシーの料金はとても（　　　　　　）。

⑦妻は、「（　　　　　　）なのに……」と文句を言い続けた。

3番

帰りが遅い時は気をつけましょう

　最近市内で、夜遅い時間に歩いて帰る女性がかばんをとられるという事件が増えています。犯人は車ではなくて、自転車に乗ってとっていくことが多いようです。かばんを肩にかけるときは、後ろから来た自転車にとられにくいように、車道側ではないほうの肩にかけましょう。家のかぎや携帯電話はかばんの中に入れておかないことも大切です。銀行のカードをとられてしまった場合は、すぐに銀行に連絡してください。できるだけ、遅い時間に一人で歩かないようにしましょう。

問　かばんをとられないようにするには、どうすればいいと言っているか。
　　1　かばんを肩にかけてはいけない。
　　2　車ではなくて自転車に乗ったほうがいい。
　　3　家のかぎや携帯電話をかばんの中に入れない。
　　4　かばんを車道と反対のほうの肩にかける。

解き方のヒント

文章を読んで、（　　　）にことばを書いてください。

①夜遅い時間に（　　　　　）帰る女性が（　　　　　　　　）という事件が増えている。

②犯人は（　　　　　）に乗っていることが多い。

③かばんを肩にかけるときは（　　　　　　　　　）ほうの肩にかけたほうがいい。

4番

山田一郎先生

　先日は突然おうかがいしたにもかかわらず、お時間を作っていただき、その上お食事までごちそうになり、ありがとうございました。

　先生に話を聞いていただき、心の中の不安が消えました。改めて自分の目標を確認することもできました。もう一度目標に向かって努力していこうと思います。よい結果をご報告できるようにがんばります。

　ご連絡もしないで訪問した私に、おいしいお食事を用意してくださった奥様にどうぞよろしくお伝えください。

2月10日

リュウ・チャン

問　この手紙で一番伝えたいことは何か。
1　食事をごちそうしてもらったことのお礼
2　話を聞いてもらったことのお礼
3　よい結果が報告できたことのお礼
4　先生の奥様が食事を用意してくれたことのお礼

解き方のヒント

文章を読んで、（　　）にことばを書いてください。

①チャンさんは、（　　　　　　　）ために山田先生の家に行った。

②先生に相談して、不安が（　　　　　）。

③（　　　　　　　）が作った料理をごちそうになった。

第2回
内容理解 短文

日付	/	/	/
得点	/4	/4	/4

つぎの文章を読んで、質問に答えなさい。答えは、1・2・3・4から最もよいものを一つえらびなさい。

1番

　今アメリカで人気が高い女性3人のグループ「wee」が来週、日本にやって来ます。彼女たちの美しい歌声と踊りは見る人を感動させます。昨年発売されたCDは全世界で1000万枚を売り上げました。来月また新しいCDが発売される予定で、その宣伝がこの来日の主な目的です。来月から半年かけてアメリカ各地でコンサートを行う予定ですが、その前にしっかり宣伝しておこうということのようです。コンサート前の忙しい時期ですが、彼女たちは、空いた時間に観光や買い物を楽しみたいと言っているそうです。

　日本にいるのは1週間と短いのですが、テレビ番組にも出演する予定です。

問　「wee」が日本に来る目的は何か。
1　CDの販売
2　コンサートの宣伝
3　CDの宣伝
4　観光と買い物

解き方のヒント

文章を読んで、（　　　）にことばを書いてください。

①来月また新しい（　　　）が発売される。
②来月からアメリカ各地で（　　　　）を行う。
③日本に来る目的は（　　　　　）ことだ。
④彼女たちは、（　　　　　）に観光や買い物を楽しみたいと言っている。
⑤日本にいる間に（　　　　　）にも出演する予定だ。

2番

　現代の生活は、パソコンや携帯電話、テレビなどの画面を毎日見るために、多くの人が目の疲れを感じていると言います。そういう人たちにすすめたいのが簡単にできる目の体操です。パソコンを使った後や読書をした後に目が疲れるのは、近くの物を見続けることによって、目のまわりの緊張が続くからです。このようなときは、目を閉じたり開いたり、また瞳(注1)を上下左右に動かす体操を2～3回くりかえしてみましょう。目のまわりの筋肉(注2)がやわらかくなって、疲れがかなりとれるでしょう。

（注1）瞳：目の中の黒い部分
（注2）筋肉：体を動かすときに使う部分

問　目の疲れをとるのに必要なことは何か。

1　近くにある物を見続ける。
2　目の筋肉を強くする。
3　目を使う前に体操をする。
4　目のまわりの緊張をとる。

解き方のヒント

文章を読んで、（　　　）にことばを書いてください。

①現代の生活では（　　　　　　）を感じている人が多い。

②近くの物を見続けると、目のまわりの（　　　　　）が続く。

③目を（　　　　）開いたり、瞳を上下左右に（　　　　　　）体操をしたりすると、目のまわりの筋肉が（　　　　　　　）、疲れがとれる。

3番

　「旅は人を大きくする」と言います。旅は私にいつも新しい発見をくれます。美しい景色、人との出会い、おいしい料理……その中には悪いものもあるかもしれません。しかし、いいものも悪いものも、様々なものを見て、聞いて、食べて、感じて、考えることが、人が「大きくなる」ということなのでしょう。旅に出るといつも、戻るときの荷物のほうが重く感じます。それはきっと「大きくなった」私の、経験の重さだろうと思っています。

問　「旅は人を大きくする」とあるが、どのようなことか。
1　旅をするといろいろなものを食べて体が大きくなる。
2　旅をするといい発見だけではなく悪い発見も増える。
3　旅をすると帰りはいろいろ荷物が増えて重くなる。
4　旅をするといろいろな経験をすることができる。

解き方のヒント

文章を読んで、（　　　）にことばを書いてください。

① 旅に出ると新しい（　　　）がある。
② 様々なものを見て、聞いて、食べて、（　　　）、（　　　）ことが、人が「大きくなる」ということだ。
③ 旅行に出かけるときより、（　　　）ときのほうが、荷物が重く感じる。それは、旅の間にした（　　　）の重さだろう。

4番

カセットボンベの正しい捨て方

バーベキュー用のカセットボンベをごみとして捨てるときは、ごみ収集車やごみ処理場で事故が起きないように、中身を使い切ってから、穴を開けて、資源ごみの日に缶として出してください。

穴が開けられない場合は、中が見える袋に入れて、特別ごみの日に危険物として、ほかのごみと分けて出してください。ごみ処理場に直接持ち込むこともできます。その場合も、同じように袋に入れて、危険物だとわかるようにしてください。

どの方法で出す場合も無料です。

問い合わせ　ごみ処理センター
☎　（98）××□□
Fax　（98）××○○

問　この文の内容について、正しいものはどれか。
1　穴を開けて、袋に入れなければ捨てることができない。
2　穴を開けないで処理場に持っていくときは中が見える袋に入れる。
3　ごみ処理場に持っていけば穴を開けてくれる。
4　ごみ処理場に持っていかないと無料にならない。

文章を読んで、（　　）にことばを書いてください。　　解き方のヒント

① カセットボンベを捨てるときは、中身を（　　　　　）から、（　　　　　）、資源ごみの日に缶として出す。

② 穴を開けられない場合は、（　　　　　　　）に入れて、特別ごみの日に出す。

③ （　　　　　　　）に持ち込むこともできる。その場合は、（　　　　　　　）に入れて危険物だとわかるようにする。

④ どの方法も（　　　　）だ。

第1回 内容理解 中文

つぎの文章を読んで、質問に答えなさい。答えは、1・2・3・4から最もよいものを一つえらびなさい。

1番

　先日、仕事の帰りにバスに乗ったときのことだ。私のとなりの席に10歳ぐらいの女の子が座っていた。彼女は途中から乗ってきた50代ぐらいの女性を見ると、「どうぞ」と言って席を立った。すると、その女性は少し怒ったような顔で、「いいわよ」と言った。「自分はまだそんな年ではないのだから年寄り扱いをしないでほしい」と思って、いい気持ちがしなかったのかもしれない。けれども、女の子にはその女性が十分年寄りに見えたのだろう。そして、「お年寄りや体の不自由な人がいたら、席を譲りなさい」と教えられているのをちゃんと守って立ったのだろう。女性は、それを理解して「ありがとう」と言って座ればよかったのに。私は、女の子ががっかりしているのではないかと気になって、「雨が降ってきたね。傘、持ってる？」と声をかけた。すると、彼女は「はい」とにっこり笑ってバスを降り、走って行った。私は少し安心した。

問1　この文章を書いた人は、女性がしたことについてどう思ったか。
　　1　「ありがとう」と言ったのはよかった。
　　2　「いいわよ」と言った理由が理解できない。
　　3　女性が座ったので安心した。
　　4　女性が座らなかったのは残念だ。

問2　この文章を書いた人は、女の子がしたことについてどう思ったか。
　　1　女性を年寄りだと思ったのはよくなかった。
　　2　女性に席を譲ろうとしたことはよかった。
　　3　女性をいやな気分にしたのはよくなかった。
　　4　女性に笑って答えたのはよかった。

問3　少し安心したとあるが、それはどうしてだと考えられるか。
　　1　女の子ががっかりしていないようだったから
　　2　女の子がバスを降りたから
　　3　女の子が傘を持っていたから
　　4　女の子が教えられたことを守ったから

2番

　スーパーのレジで「ノー・レジ袋カード」というカードを見ることがある。自分の買い物袋を持っている客はお金を払う前に、このカードを自分のかごに入れておく。カードを見た店員は、この客にはレジ袋を渡さなくていいとわかる。客と店員が「レジ袋は要りませんよ」「はい、ご協力ありがとうございます」というような会話をしないですむ。便利だからと、レジにこのカードをおくスーパーが増えているようだ。これについて、ある新聞に「私はノー・レジ袋カードを使いたくない」という投書(注)があった。投書をした人は、「ことばで直接伝えるのは簡単なことなのに、なぜカードを使うのかわからない」と言っている。そして、「カードのせいで人と人のコミュニケーションの機会が減ってしまうのは残念だ」と書いている。

　しかし、私は、このカードの使用が特に残念なことだとは思わない。レジ袋が要るか要らないかを言葉で伝えるのは、たしかに簡単だ。簡単なのは、このやり取りに大した内容がないからだ。それよりも、例えば小さい商店で、どの商品がいいか相談したり、店の人が客に合う品を勧めたりするようなコミュニケーションが、今のスーパーではしたくてもできない。そのことのほうが残念だと私は思う。

（注）投書：一般の人が新聞などに自分の意見などを送ること

問1 「ノー・レジ袋カード」の便利な点はどんなことだと言っているか。
1 会話をしなくても袋が必要ないとわかること
2 会話をしなくてもお金が払えること
3 客と店員の会話が簡単にできること
4 客が店員に言葉で直接伝えられること

問2 投書をした人は、どうして「ノー・レジ袋カード」を使いたくないのか。
1 カードの使い方がわかりにくいから
2 必要なレジ袋がもらえないのは残念だから
3 自分の買い物袋を持っているから
4 店員との会話をなくしたくないから

問3 この文章を書いた人は、店で行われるコミュニケーションについてどのように思っているか。
1 レジで行われるコミュニケーションは簡単なほうがいい。
2 スーパーでは小さい店のようなコミュニケーションが行えないので残念だ。
3 小さい店はコミュニケーションの機会が少ないので残念だ。
4 レジでカードを使わなければコミュニケーションが増えるだろう。

3番

　昔からずっと「青いバラは作ることができない」と言われてきました。バラにはもともと青い色を作る力がありません。それで英語の「blue rose（注）」という言葉には「不可能」という意味があります。

　その①「不可能な花」を作ろうと研究を始めた人たちがいました。その人たちが考えたのは、バラ自身に青い色を作る力がないのだから、②ほかの青い花からその力を借りるという方法です。しかし、どの種類のバラでもいいというわけではありません。たくさんあるバラの種類の中から、ほかの花の力を自分の力に変えられるものを探しました。そのようなバラはなかなか見つかりませんでしたが、研究を始めてから14年後についに見つかったのです。こうして青いバラが生まれました。青いバラの花言葉は「普通では考えられないことが起きる」という意味の③「奇跡」です。

（注）blue rose：青いバラ

問1 ①「不可能な花」と言われていたのはどうしてか。
1 バラはほかの花の力を使うことができないから
2 バラは青い花から力を借りることができないから
3 青いバラを作る研究ができないから
4 青いバラを作ることはできないと思われていたから

問2 ②ほかの青い花からその力を借りるとはどういうことか。
1 ほかの種類のバラの力を貸してもらう。
2 ほかの花の青い色を作る力を使う。
3 青い色を作る力をほかの花に与える。
4 青い色を作る力があるほかの花を探す。

問3 青いバラの花言葉が③「奇跡」であるのはどうしてか。
1 研究に14年もの長い時間がかかったから
2 見つからなかった種類のバラが見つかったから
3 できないと考えられていたことができたから
4 バラに力を貸すことができる花が見つかったから

第2回 内容理解 中文

日付	/	/	/
得点	/9	/9	/9

つぎの文章を読んで、質問に答えなさい。答えは、1・2・3・4から最もよいものを一つえらびなさい。

1番

　最近、ちょっとしたことで怒る子どもが増えている。先日も、いつもはまじめに勉強していた子が突然友だちをナイフで刺すという事件が起こった。子どもが事件を起こすたびに、その原因について教育の専門家がいろいろな意見を言う。しかし、①そのような行動の原因の一つが毎日の食事にあるということを忘れてはいけない。例えば、子どもたちが好きなジュースや菓子などの甘いものは、とりすぎるといらいらしたり怒りっぽくなったりすることがわかっている。しかし、「何を食べるか」よりもっと大切なのは、「どのように食べるか」である。今の子どもたちは、一日三回の規則正しい食事ができないことが多い。例えば、学校から帰ってラーメンや菓子を食べてから、すぐ塾へ行って勉強をする。家に戻って遅い時間に食事をして、朝食は食べない。②こんな食事のし方を続けていると、夜眠れなくなったり、胃腸の調子が悪くなったりして、その結果、心も不安定になる。食事は、栄養に気を付ければそれでいい、というものではない。成長期の子どもを持つ親は、彼らの心の健康のために、食事の習慣についてもっと注意することが必要だ。

問1　①そのような行動の原因とあるが、どういうことか。
1　なぜまじめに勉強すると怒りっぽくなるのか。
2　どうして子どもがすぐ怒るのか。
3　どうして教育の専門家が意見を言うのか。
4　何のために子どもがナイフを持っているのか。

問2　②こんな食事のし方とあるが、どういうことか。
1　塾へ行く前にラーメンや菓子を食べること
2　塾から帰った後で食事をすること
3　甘いものをとりすぎること
4　不規則に食事をすること

問3　この文章で一番言いたいことは何か。
1　親は子どもが何を食べるかについて注意するべきだ。
2　成長期の子どもをもつ親は食事の栄養に気を付けるべきだ。
3　子どもの心の健康のために、規則正しい食事が大切だ。
4　子どもの教育には食事の習慣が大切だ。

2番

　私にとって音楽は空気や水ほどのものではない。それがないと生きていけない、というほど大切なものだとは思わない。けれども、受験勉強に苦しんでいたとき、友人と別れてさびしく思っていたとき、私は①音楽からどれだけ力をもらったことか。そんなときに聞いた曲、歌った歌は今も忘れることができない。

　しかし、ある年、大きな災害(注)が起こって国中の人々が悲しんでいたとき、歌を歌うのはよくない、音楽の演奏はやめるべきだという声があがった。そして、私たちの生活から音楽が消えてしまった。そのとき、私には、世界がいっそう暗くなったように思われた。もとの明るい生活はもう戻ってこないかもしれないと思った。②このように感じた人は私だけではなかったようだ。しばらくすると、「苦しみを乗り越えるために、やっぱり歌おう」という声が大きくなり、人々がまた歌を歌い始めた。歌から生まれる力、音楽の力があらためて注目されたのだ。

(注) 災害：地震や台風など、人々が受ける被害

問1　①音楽からどれだけ力をもらったことかとはどういう意味か。

1　音楽はあまり大きな力をくれなかった。
2　音楽のおかげで元気になった。
3　どれぐらい音楽の力が大きいかよくわからなかった。
4　そのとき聞いた音楽はとても力強い曲だった。

問2　②このように感じたとあるが、どのように感じたのか。

1　音楽がない世界は前よりもっと暗いと感じた。
2　音楽が消えても明るい生活が戻ってくると感じた。
3　災害が起こったときに歌を歌うのはよくないと感じた。
4　もとの明るい生活に早く戻りたいと感じた。

問3　この文章を書いた人は、音楽はどのようなものだと言っているか。

1　水や空気と同じように大切なもの
2　忘れることができないもの
3　人に力を与えるもの
4　人々がいつも注目するもの

3番

　携帯電話によるメールの交換は便利なものですが、良いことばかりではありません。例えば、あなたは毎日、新しいメールが来ていないか、自分が送ったメールの返事は来ているかと、しょっちゅう携帯電話を見てチェックしていませんか。もしそうなら、少し①気を付けたほうがいいでしょう。メール交換のことばかりが気になって、ほかのことには注意が向かなくなっている心配があります。それから、あなたは、最近メールの交換をし始めた人のことを、どれくらい知っていますか。学校や会社でずっと一緒に勉強や仕事をしてきた友だちと同じくらいよく知っているでしょうか。二、三回メールの交換をしただけで、その人とすっかり仲良くなったと思うことがあるかもしれません。②メールによる付き合いの問題点は、少しメールの交換をしただけで互いがよくわかったように思い、良い友だちができたと思ってしまうところです。今はまだただの知り合いなのに、二人の間がとても近くなって良い友だちになったように感じてしまいます。しかし、人間は、そんなにすぐに理解し合うことはできません。相手を簡単に信頼した結果、思いがけないトラブルに巻き込まれる人もいるのです。トラブルを避けるためにも、［　③　］ことが大切です。

問1　①気を付けたほうがいいとあるが、どんなことに気を付けるのか。
　　1　新しいメールをチェックすること
　　2　メールの交換ばかりを気にすること
　　3　メールの返事を送ること
　　4　新しい友だちとメールの交換を始めること

問2　②メールによる付き合いの問題点はどんなことだと言っているか。
　　1　良い友だちや良い知り合いをつくれないこと
　　2　まだよく知らない人に親しみを感じてしまうこと
　　3　実際には会わないので相手をよく理解できないこと
　　4　一緒に勉強や仕事をしないので親しくなれないこと

問3　[　③　]に入るものはどれか。
　　1　良い友だちをたくさん作る
　　2　知り合いをたくさんもつ
　　3　メール交換のことばかりを考えない
　　4　メール交換の危険をよく理解する

第1回 内容理解 長文

つぎの文章を読んで、質問に答えなさい。答えは、1・2・3・4から最もよいものを一つえらびなさい。

1番

　言葉は考えを伝えるだけのものではありません。言葉を使って遊ぶことも昔から行われています。言葉を使った遊びを少し紹介してみましょう。

　日本の言葉遊びには「①音を使った遊び」と「言葉の意味を使った遊び」があります。「音を使った遊び」の代表的なものは「しゃれ」です。

・らくだ(注1)に乗ると楽だ。
・イクラ(注2)はいくら？

　このように短い文の中に「らくだ」（動物）と「楽だ」という同じ音の言葉を入れて作ります。音が似ている言葉を使って作ることもあります。「しゃれ」は昔から日本人に親しまれていますが、それは、日本語には音は同じでも意味が違う言葉がたくさんあるからでしょう。

　つぎのような、音を使った言葉遊びもあります。

・留守に何する？（ルスニナニスル）
・確かに貸した（タシカニカシタ）

　これは「回文」というもので、前から読んでも後ろから読んでも同じになる文です。とても長い「回文」を考えて楽しむ人もいます。

　「言葉の意味を使った遊び」の一つに「なぞなぞ」があります。

・夜の空に大きい音を出してさく花は何？
・かたくて食べられないパンは何？

　答えは「花火」、「フライパン」(注3)です。言葉のいろいろな意味を考えて答える遊びです。答えを聞いて「ああ、そうか！　なるほど」と思ったら、それはいい「なぞなぞ」です。

（注1）らくだ：動物

(注2) イクラ：魚（サケ）のたまご。すしによく使われる。

(注3) フライパン：

問1　①音を使った遊びは、どれか。
1　「しゃれ」
2　「しゃれ」と「回文」
3　「回文」と「なぞなぞ」
4　「しゃれ」と「回文」と「なぞなぞ」

問2　つぎの中で、「しゃれ」はどれか。
1　「スキー、大好き。」
2　「遠く鳴く音」
3　「どんな泥棒でも1年に1回しかとれないものは何？」
4　「夏まで待つな。」

問3　「回文」について正しいものはどれか。
1　一つの字を違う音で読まなければならない。
2　文の中に音が同じか似ている言葉を入れる。
3　前後どちらから読んでも同じである。
4　問題文から答えを考えることができる。

問4　この文章で言っていることに合っているものは、どれか。
1　意味は同じでも音が違う言葉が日本語には多い。
2　「言葉遊び」は人の考えを伝えるために必要なものだ。
3　良い「言葉遊び」の文はいつも短い。
4　言葉には考えを「伝えること」以外の働きもある。

2番

　最近、電車や町の中で、携帯電話などの小さい機械を持って、ゲームをやっている人が多い。歩きながらやっていて人にぶつかってしまうこともある。見ているこちらのほうがこわいと思うが、ゲームをしている人は、①全然気にしていないようだ。

　ある会社では、会社にゲームを持ってきて、②仕事の後でゲームをやっている人たちがいたという。その会社では、まだ帰らないで仕事をしているほかの社員からうるさいと文句が出たために、会社にゲームを持ってきてはいけないことになったそうだ。ゲームをしていた人たちは、「仕事中ではなくて仕事が終わった後なのだから何をしてもいい」と思っていたのだろう。しかし、会社は仕事をするところなのだから仕事に関係のないものを持っていくべきではない。それに、ほかの人の迷惑になるようなことをしてはいけない。③それぐらいのことは、大人なら注意されなくてもわかるはずだ。

　昔と違って、今のゲーム機は小さくて運ぶのに便利になったため、いつでもどこでもできるようになった。だが、そのために時間や場所を考えないでゲームをする人が多くなってしまったのではないか。ゲームをやるやらないは、もちろん個人の自由だ。しかし、ゲームの画面を見る前に、④自分の周りを見てほしい。

問1 ①全然気にしていないようだとあるが、何を気にしていないのか。
1　ゲームをやっている人が多いこと
2　ゲームの機械が小さいこと
3　周りの人に見られていること
4　周りの人にぶつかるかもしれないこと

問2　この文章を書いた人は、②仕事の後でゲームをやっている人たちをどのような人たちだと思っているか。
1　仕事をしないでゲームで遊んでばかりいる人たち
2　会社にゲームの機械を持って行ってはいけないことを知らなかった人たち
3　会社でしてはいけないことがわからない人たち
4　仕事をちゃんとやっているのに注意されてしまった人たち

問3　③それぐらいのことは、大人なら注意されなくてもわかるはずだとあるが、これはどういうことか。
1　大人だから自分で間違いに気がつくまで待ったほうがいい。
2　子どもはわからないかもしれないが、大人はわかっていなければいけない。
3　子どもでもわかることだから、大人が大人に注意することはよくない。
4　大人が簡単に理解できることでも、子どもにはわからない場合がある。

問4　④自分の周りを見てほしいとあるが、「自分の周りを見る」とはどういうことか。
1　時間や場所を考えないでゲームをする人がいたら注意する。
2　今、ここでゲームをしてもいいかどうかを考える。
3　自分のそばでゲームをしている人がいないかどうかを見る。
4　ゲームをしている人がほかにもいるかどうかを確かめる。

第2回
内容理解 長文

日付	/	/	/
得点	/4	/4	/4

つぎの文章を読んで、質問に答えなさい。答えは、1・2・3・4から最もよいものを一つえらびなさい。

1番

「口コミ」とは、何かを食べたり使ったりした感想が、人から人に伝えられることを言います。インターネット(注1)には「口コミサイト」があって、だれでもこのサイト(注2)に感想を書いたり、そこに書かれた情報を読んだりすることができます。例えば、食事に行くとき、この口コミサイトを見て、「おいしかった」などの良い感想が多い店を選べば、①間違いがないはずです。

このように便利な口コミサイトですから、多くの人に利用されています。口コミサイトには、自分の本当の名前を出さなくても書くことができます。もし、店で食べたものがおいしくなければ、「おいしくなかった。行かないほうがいい。」という感想や悪口なども書くことができます。そのため、本当ではないことを書いてほしいと頼む店が出てきました。つまり、お金を払ってだれかに口コミサイトに「おいしかった」と書いてもらうのです。たくさんの客に来てほしいという気持ちはわかりますが、②この方法は正しいとは言えません。

今、インターネットに流れる情報の数や種類は増え続けています。情報がどこから来たのか、だれが出したのかがわかる場合もあるし、わからない場合もあります。出した人がわかる場合でも、その情報が本当に正しいかどうかはわかりません。出した人がわからない場合は、ますます信用することができないでしょう。私たちはいつでも、正しい情報を選びたいと思いますが、それは、簡単にできることではないようです。

(注1) インターネット:「internet」
(注2) サイト:インターネットで情報が出ているところ

問1 ①間違いがないとあるが、どういうことか。
1 店の場所を間違えない。
2 インターネットの情報は正しい。
3 おいしい料理が食べられる。
4 正しい情報がもらえる。

問2 「口コミサイト」には、例えばどんな良い点があると言っているか。
1 店の人がすすめる料理や商品がわかる。
2 客が料理や商品をどう思ったかがわかる。
3 多くの情報が速く伝えられる。
4 店や商品について質問することができる。

問3 ②この方法とあるが、何のための方法か。
1 客に「おいしい料理だ」と言ってもらうための方法
2 だれが書いたかわからないようにするための方法
3 店から金をもらうための方法
4 店に客を集めるための方法

問4 この文章で一番言いたいことは何か。
1 正しい情報を選ぶのは、難しい。
2 店や商品を選ぶとき、口コミサイトをもっと使えばいい。
3 口コミサイトの情報は正しくないので、使わないほうがいい。
4 口コミサイトに感想を書くときは、本当の名前を使うべきだ。

2番

　高速道路の発達で輸送(注1)にかかる時間が短くなり、私たちは①どこでも同じような食生活ができるようになった。

　昔は、山奥の村で新鮮な海の魚を食べることはできなかったし、山でとれた野菜や果物を海辺の町で食べることも難しかったが、今は、朝、海でとれた魚を海から離れた山の人々が昼食に食べることもできるし、山の畑でとれた作物をその日のうちに海辺の町に届けることも可能だ。

　しかし、その一方で、遠くから運ばれてくるものより、できるだけその地方で作られたものを食べようという活動もさかんになっている。「地産地消」と呼ばれるこの活動では、②作った人と買う人の結びつきを大切にする。例えば、農業者(注2)が自分の作った野菜を近所の直売所(注3)で売る。そこに来る地元(注4)の人は、「ここでは野菜を作った人の顔を見て、話をすることができます。作った人が安全な野菜だと自信をもって売っていることもわかるので、ここなら③安心して買うことができるんです」と言う。このような人と人の結びつきができると、農業者とほかの産業の人のネットワーク(注5)が生まれ、農業とほかの産業のかかわり(注6)も強くなるだろう。そうなれば、その地方全体の産業が元気になるという考えだ。

　けれども、実際には、地産地消活動の結果がいいことばかりとは言えない。この活動が進みすぎれば、昔のように、海から遠い地方では新鮮な魚を食べることが難しくなる。北の地方でとれるリンゴが南では食べられなくなるかもしれない。それでは困ると言う人もいる。どこでとれたか、だれが作ったかわからなくてもいいから、いろいろなところで作られたものが簡単に手に入るほうがいいと言う人も多い。地産地消に片寄りすぎることがないように、注意が必要だ。

(注1) 輸送：人や物を遠くへ運ぶこと
(注2) 農業者：農業をしている人、米や野菜を作っている人
(注3) 直売所：野菜や果物を、作った人が直接売る場所
(注4) 地元：その人、その人々が住む場所。その地方
(注5) ネットワーク：network、情報を交換し合う人たちのつながり
(注6) かかわり：関係、つながり、結びつき

問1　①どこでも同じような食生活ができるとあるが、この例として最も適当なものは、どれか。
　1　北でも南でも同じ野菜が作られて、だれでも同じ野菜を食べる。
　2　山に住む人も海辺の人もその場所でとれた野菜や果物を食べる。
　3　北の海でとれた新鮮な魚をいろいろな地方の人が食べる。
　4　朝、海でとれた新鮮な魚をその地方で昼食に食べる。

問2　②作った人と買う人の結びつきを大切にするとあるが、この目的はどんなことか。
　1　売られているものを安心して買えるようにすること
　2　その地方の農業をさかんにすること
　3　顔が見え、話ができるような関係をつくること
　4　その地方全体の産業を元気にすること

問3　③安心して買うことができると言っているのは、なぜだと考えられるか。
　1　その地方でとれたものがすぐに手に入るから
　2　だれが買って食べるかがわかるから
　3　作った人から直接買うことができるから
　4　地元の野菜は安全だと知っているから

問4　この文章を書いた人は「地産地消」の活動についてどのように考えているか。
　1　この活動が進みすぎると、よくないこともある。
　2　この活動がますますさかんになるといい。
　3　この活動によって各地で作られたものが簡単に手に入るのでいい。
　4　この活動の結果がいいことばかりになればいい。

第1回 情報検索

日付	/	/	/
得点	/4	/4	/4

1番

右のページは、マンションに住んでいる人へのお知らせである。これを読んで、下の質問に答えなさい。答えは、1・2・3・4から最もよいものを一つえらびなさい。

問1　青山さんは、いつまでに申し込み用紙を出さなければならないか。
1　3月15日
2　3月31日
3　4月9日
4　4月13日

問2　青山さんの休みは水曜日だが、4月10日と11日は、出張の予定がある。11日の代わりに12日が休みになる。しかし、この日の午前中は歯医者の予約をしたので、午前中は留守だ。青山さんが点検を申し込むことができる日と時間はどれか。
1　4月9日の11時から12時までと14時から16時まで
2　4月9日と11時から12時までと4月12日の14時から16時まで
3　4月12日の11時から12時まで
4　4月12日の14時から16時まで

当マンションのみなさまへ　　　　　　　　　　　　3月15日

消火器の点検のお知らせ

　下記のとおり、各部屋の消火器の点検をしますので、よろしくお願いいたします。

　　点検期間　：　4月9日（月）〜13日（金）

　ご都合のよい日の時間に〇を書いて、今月末日までに管理人室のポストに入れてください。

-------------------------------- キリトリ --------------------------------

消火器の点検の申し込み

_____号室　　お名前_____

	11時〜12時	14時〜15時	15時〜16時
4/9（月）			
4/10（火）			
4/11（水）			
4/12（木）			
4/13（金）			

2番

右のページは市民センターの案内である。これを読んで、下の質問に答えなさい。答えは、1・2・3・4から最もよいものを一つえらびなさい。

サリさんは田中さんに日本料理の作り方を習いたいと思っています。いっしょに習いたいという人が15人になりました。田中さんは、4月の前半ならいつでもいいと言っています。場所は、みどり市の市民センターの調理室を借りようと思います。なべなどの調理道具も借りなければなりません。会社で働いている人もいるので、平日の午後6時からにしたいと思っています。

問1　サリさんはいつから申し込みができるか。
1　3月1日から
2　3月10日から
3　4月1日から
4　4月10日から

問2　希望に合う部屋を借りるには、サリさんはいくら払わなければならないか。
1　1,200円
2　1,500円
3　1,700円
4　1,800円

◇ 市民センター　使用のご案内 ◇

◆**使用料**（土・日・祝日は以下の料金の20パーセント増しになります）

部屋	定員	午前 (9:00 ～ 12:00)	午後 (1:00 ～ 4:00)	夜間 (5:00 ～ 8:00)
会議室A	30人	500円	700円	900円
会議室B	50人	600円	800円	1,000円
調理室A	10人	400円	600円	750円
調理室B	30人	600円	850円	1,000円
ホール	200人	1,350円	1,800円	2,150円
和室	25人	400円	500円	600円

※ 調理室を利用し、調理道具も利用する場合は、午前・午後・夜間ごとに500円をお支払いいただきます。

◆**申し込み方法**

市民センター2階受付窓口で利用日の前月の1日から申し込めます。

第2回
情報検索

日付	／	／	／
得点	／4	／4	／4

1番

右のページは、中山市の施設の案内である。これを読んで、下の質問に答えなさい。答えは、1・2・3・4から最もよいものを一つえらびなさい。

問1　マニさんには5歳と2歳の子どもがいる。マニさんは次の休日に奥さん、子どもとどこかへ出かけたいと考えている。一番安い料金で入ることができるのはどこか。

1　①
2　②
3　③
4　④

問2　電車またはバスを降りてから歩いて10分以内で行けるところで、子どもといっしょに楽しめるところはどこか。

1　①と②
2　①と③
3　③と④
4　①と④

①
中山スタジアム

サッカーのワールドカップが行われた国内最大のサッカー競技場。試合がない休日は、さまざまなイベントがあり、家族で楽しめる。

- 🚶 北中山駅から徒歩15分
- ¥ 入場料 850円
  （6歳以下 無料）

②
中央公園

大人向けのトレーニング施設。場内には一周2000mのコースがあり、ジョギング、サイクリングができる。

- 🚶 公園前駅から徒歩5分
- ¥ 入園料 550円

③
なかやま動物園

38,000㎡の広い園内に、ニホンザル、ヒツジなど50種類の動物を見ることができる。

- 🚶 北中山駅から徒歩8分
- ¥ 入園料 600円
  （6歳以下4歳まで 半額、
  　3歳以下 無料）

④
なかやま公園

8つのプールのほか、ミニチュアゴルフや釣り場もあり、家族で一年中楽しむことができる。

- 🚶 森下駅より直通バス「なかやま公園」で下車すぐ
- ¥ 入園料 700円
  （小学生400円、6歳以下300円）

2番

右のページは、車で町内をまわる移動図書館の案内である。これを読んで、下の質問に答えなさい。答えは、1・2・3・4から最もよいものを一つえらびなさい。

問1　山田さんは5月10日に中央図書館で本を借りた。山田さんは川中町に住んでいるので、川中幼稚園か川中駅で本を返したい。なるべく長く借りたいと思っているが、いつ返せばよいか。

1　5月21日
2　5月23日
3　6月4日
4　6月6日

問2　山田さんは今度はじめて移動図書館で本を借りようと思う。何を持っていけばいいか。

1　図書館利用カード
2　図書館利用カードと保険証
3　保険証
4　移動図書館の予定表と保険証

移動図書館 4月〜9月の予定

以下の予定で川中町内をまわります。

場所	時間	日にちと曜日
川中駅（東口）	13:40〜14:00	4/9・23 5/7・21 6/4・18 7/2・23 8/6・20 9/3・24 ※すべて月曜日です
スポーツセンター	14:30〜15:30	
川中幼稚園	9:15〜10:00	4/11・25 5/9・23 6/6・20 7/4・18 8/1・22 9/5・19 ※すべて水曜日です
中央公園	10:35〜11:20	
ファミリー園	13:15〜14:00	※4月〜9月は休みます
川中駅（西口）	9:30〜10:30	4/18 5/2・16・30 6/13・27 7/11・25 8/8・29 9/12・26 ※すべて水曜日です
子どもセンター	13:20〜13:40	
さくら団地	10:50〜11:20	

・本は2週間、7冊まで借りることができます。（中央図書館と同じ）
・中央図書館で借りた本を返すこともできます。
・本を借りるには「図書館利用カード」が必要です。（中央図書館と同じカードが使えます）
・図書館の利用がはじめての方は、保険証など、住所・氏名を確認できるものをお持ちください。その場で「図書館利用カード」をお作りします。

著者紹介

問題作成＋解説：
　　星野 恵子：元 拓殖大学日本語教育研究所 日本語教師養成講座 講師
　　辻 和子：ヒューマンアカデミー日本語学校東京校 顧問

問題作成：青柳 恵
　　　　　小座間 亜依
　　　　　桂 美穂
　　　　　小島 美奈子
　　　　　高田 薫
　　　　　高橋 郁
　　　　　横山 妙子

翻　訳：　英語　　山上 富美子
　　　　　中国語　張 一紅（チョウ・イイコ）
　　　　　韓国語　徐 希姃（ソ・ヒジョン）

録　音：　勝田 直樹
　　　　　かとう けいこ

イラスト：　　　　竹内 まゆ美
カバーデザイン：　木村 凜
編集協力：　　　　りんがる舎

ドリル＆ドリル 日本語能力試験 N3 聴解・読解

2014年2月20日 初版発行　　　2025年8月1日 第14刷発行

[監修]　星野恵子
[著者]　星野恵子・辻和子　2014©
[発行者]　片岡 研
[印刷所]　シナノ書籍印刷株式会社
[発行所]　株式会社ユニコム
　　　　　Tel.042-796-6367　Fax.042-850-5675
　　　　　〒194-0002 東京都町田市南つくし野2-13-25
　　　　　http://www.unicom-lra.co.jp

ISBN 978-4-89689-493-6

■本文、音声等の無断転載複製を禁じます

ドリル&ドリル
日本語能力試験 N3 聴解・読解

著者：星野恵子＋辻 和子

正解・解説

強く引っぱるとはずせます

UNICOM Inc.

N3 解答

課題理解

第1回

1ばん　正解2

スクリプト

男の人と女の人がバスの時刻表を見て話しています。二人は何時のバスに乗りますか。

F：バスの朝一番は5時27分だけど、明日はそんなに早くなくてもいいよね。
M：えっと、飛行機が9時30分で、1時間前に着いたほうがいいから、8時30分に空港。
F：北町駅から空港までは電車で50分だから、7時半ごろの電車に乗らなくちゃ。
M：ということは、6時台のバスだね。
F：ええ？　早すぎるよ。ここから北町駅まで20分よ。この、7分のバスでいいんじゃない？
M：うーん、でも、バスは遅れることもあるし、切符を買う時間もいるし、もう少し早いほうがいいよ。
F：じゃあ、57分？
M：いや、それより1本早いのにしよう。荷物を持って走るのはいやだからね。
F：えー、じゃあ、5時に起きなくちゃ。大変だ。

二人は、何時のバスに乗りますか。

ポイント

① 「7時半ごろの電車に乗らなくちゃ」→ 北町駅に7時30分前に着かなければいけない。
② 「6時台のバスだ」→ 6時02分、20分、44分、57分のバスに乗る。
③ 「7分のバスでいいんじゃない？」→ 7時7分のバスに乗れば間に合うと思う。
④ 「もう少し早いほうがいいよ」→ 7時7分より早いバスがいい。
⑤ 「57分？」→ 6時57分にするか。
⑥ 「それより1本早いのにしよう」→ 57分の前のバスに乗る。→ 6時44分のバスに乗る。

⚠️
◇「乗らなくちゃ」=「乗らなくてはいけない」
　「起きなくちゃ」=「起きなくてはいけない」
◇「7分のバスでいいんじゃない？」=7分のバスでいいと思う。
◇「〜台（代）」：年齢や時間などの範囲を示す言葉。
　used to show a range of things such as ages or times　表示年龄、时间等范围的词语。연령이나 시간등의 범위를 나타내는 단어。例：「20歳台（代）」= 20歳から29歳まで
◇「〜本」：交通機関の運行の回数を示す言葉。　counter
　used for the number of transportation services　表示交通工具（例如：列车，巴士等）运行次数的词语。　교통기관의 운행횟수를 나타내는 단어。例：「5時台のバスは3本しかない」

ことば

「時刻表」train/bus/ferry etc. timetable　时刻表　시간표

2ばん　正解3

スクリプト

教室で先生が学生に話しています。女の学生はこれから何をしなければなりませんか。

M（先生）：では、今返したテストは先週のテストです。今回の最高点は91点。よく勉強しましたね。クラス平均点は72点でした。60点以下の人は再テストを受けてください。
F（学生）：え！　60点以下は再テスト？
M：はい。
F：あー、先生、59点なんですけど、やっぱりもう一度受けなくてはいけませんか。
M：はい。今回のテストは、とても大切なところのテストです。ですから、60点以下の人はしっかり復習をして、再テストを受けてください。いいですね。
F：はーい。
M：では、正しい答えを確認しましょう。まちがえたところを直してください。
F：あのう、先生。再テストはいつですか。
M：ああ、来週、水曜日の授業のあとにします。一週間ありますから、しっかり復習してください。もしわからないことがあったら、質問しに来てください。

女の学生はこれから何をしなければなりませんか。

ポイント

① 「59点なんですけど、やっぱりもう一度受けなくてはいけませんか」「はい」→ 女の学生はもう一度テストを受ける。
② 「では、正しい答えを確認しましょう。まちがえたところを直してください」→ このあとすぐまちがえたところを直す。
③ 「再テストはいつですか」「来週、水曜日の授業のあとにします」→ 今はテストはしない。
④ 「一週間ありますから、しっかり復習してください」→ 来週のテストまでの間にテストの準備をする。
⑤ 「もしわからないことがあったら、質問しに来てください」→ 今これから質問をするのではない。

ことば

「テストを返す」return tests　发回试卷　테스트를 돌려주다
「最高点」the top score　最高分数　고득점
「平均点」the average score　平均分数　평균점
「再〜」re〜　再次　재〜
「復習」review　复习　복습
「確認する」confirm　确认　확인하다

3ばん　正解2
スクリプト
男の人が英会話教室の受付で話しています。男の人はこのあとどこへ行きますか。

M：あのう、すみません。ビジネス会話クラスに入る田中です。今日が初めてなんですが。
F：はい、田中実さまですね。ありがとうございます。こちらが教科書です。全部で5,300円です。
M：5,300円！　あ、足りないなあ。あのう、この近くに銀行はありますか。
F：はい。このビルの向かいにありますが。
M：じゃあ、ちょっと行ってきます。
F：あ、代金は次のときでけっこうですので、どうぞこの教科書をお持ちください。
M：え、そうですか。すみません。
F：いいえ、どういたしまして。こちらは田中さまの会員証です。次からはこの会員証をあちらの窓口に出して教室にお入りください。
M：はい。
F：授業は6時からです。教室は2階の205です。時間がまだありますから、ロビーでコーヒーでもいかがですか。
M：じゃあ、そうします。

男の人はこのあとどこへ行きますか。

ポイント
①「代金は次のときでけっこうです」＝代金は次に来たときに払えばいいです。→今日は払わなくてもいい。→銀行へは行かない。
②「次からはこの会員証をあちらの窓口に出して教室にお入りください」→今は窓口に行かない。
③「時間がまだありますから、ロビーでコーヒーでもいかがですか」「じゃあ、そうします」→授業の時間までロビーでコーヒーを飲む。→これからロビーへ行く。

ことば
「ビジネス会話」business conversation　商業会話　비즈니스회화
「向かい」across from　対面　건너편, 맞은편
「会員証」membership card/certificate　会員証　회원증

4ばん　正解1
スクリプト
母親と息子が話しています。息子はまず何をしますか。

F（母親）：来週はおじいさんのお誕生日ねえ。今年は何がいいかなあ。
M（息子）：あ、そうだ。電話して、何かほしいものはないか聞いてみようよ。
F：電話？　おじいちゃん、答えてくれるかなあ。とりあえず、デパートに行って、見てみない？
M：うーん、デパートに行くのはいいんだけど、何も考えないで行ったら、結局時間のむだになるような気がするなあ……。いろいろあって、迷うから。
F：そうね。じゃあ、駅前のお店は？　小さいお店だけど、いいものがあるし。
M：あ、ねえ、おばあちゃんに聞いてみようよ。おじいちゃん、最近ほしがってるものはないかって。
F：そうねえ。でも、それなら、直接聞いたほうがいいんじゃないの？
M：やっぱりそうだろ？　じゃあ、そうするよ。ちょっと待ってて。今かけるから。

息子はまず何をしますか。

ポイント
①「今年は何がいいかなあ」→おじいさんのプレゼントを考えている。
②「電話？　おじいちゃん、答えてくれるかなあ」→おじいさんは電話をしても何がほしいか言わないかもしれない。
③「デパートに行くのはいいんだけど、何も考えないで行ったら、結局時間のむだになるような気がするなあ……」→何を買うか考えないでデパートに行っても、いいものは買えない。→何も考えないで行くのはよくない。
④「駅前のお店は？」「おばあちゃんに聞いてみようよ」→駅前の店には行かない。おばあさんに聞くのはどうか。
⑤「直接聞いたほうがいいんじゃないの？」→おばあさんではなく、おじいさんに聞いたほうがいいと思う。
⑥「そうするよ・・・今かけるから」→これから息子がおじいさんに電話をかける。

⚠
◇「とりあえず、デパートに行って、見てみない？」＝（おじいさんのほしいものはわからないけれど）まず先にデパートへ行って、品物をいろいろ見よう。
◇「やっぱりそうだろ？」＝はじめに（私が）言った通りでしょう？

ことば
「結局」after all　結局, 結果　결국
「迷う」get lost, hesitate, waver　猶豫　망설이다

5ばん　正解1
スクリプト
会社で男の人と女の人が話しています。女の人はこれからだれに電話しますか。

M（課長）：田中君、困るよ。この報告書。たくさんまちがいがあるじゃないか。
F（田中）：はい。すみません。すぐに書き直します。

M：うん。直したら、佐藤君に見てもらいなさい。
F：はい。わかりました。
M：あれ、佐藤君は？　佐藤君、いないね。
F：あ、今、外に出ていらっしゃいます。
M：そうか。じゃあ、山田君に頼もう。
F：あのう、山田さんは今木村さんと打ち合わせをなさってますが。
M：あ、そうだった。彼には木村君の仕事を手伝うように言ったんだった。困ったなあ……。やっぱり彼しかいないな。いつ戻るか、ちょっと電話して聞いてみて。
F：はい。
M：もし遅いようだったら、しかたない、中川君に頼もう。
F：はい、わかりました。
M：とにかく今日中に頼むよ。

田中さんはこれからだれに電話しますか。

ポイント
①「直したら、佐藤君に見てもらいなさい」→まちがいを直したら、佐藤さんにいいかどうかをチェックしてもらう。
②「佐藤君は？」「今、外に出ていらっしゃいます」→佐藤さんは、今外出していて、ここにはいない。
③「彼には木村君の仕事を手伝うように言ったんだった」→男の人は山田さんに木村さんの仕事を手伝うように指示した。The man instructed Mr. Yamada to help Mr. Kimura. 男士指示山田助木村的工作。남자는 야마다씨에게 기무라씨의 일을 도와주라고 지시했다.→山田さんには頼めない。
④「いつ戻るか、ちょっと電話して聞いてみて」→（戻る人＝外から帰ってくる人＝佐藤さん）→女の人は佐藤さんに電話する。
⑤「もし遅いようだったら、しかたない、中川君に頼もう」→佐藤さんが会社に戻るのが遅い場合は、中川さんに頼む。→今は中川さんに電話をしない。

⚠
◇「困るよ」＝よくないよ／だめだよ
◇「とにかく今日中に頼むよ」＝（いろいろ問題があるけれど、）必ず今日中に報告書を完成させてもらいたい。(Though there are some problems) I want you to make sure to finish up the report within today. （虽然有各种各样的问题），但一定要在今天完成报告书。（여러 문제가 있지만）반드시 오늘중으로 보고서를 완성해줬으면 좋겠다。

ことば
「報告書」report　报告书　보고서
「打ち合わせ」meeting, discussion　碰头，事先商量　회의，협의

6ばん　正解4

スクリプト
ケーキを作る教室で男の人と女の人が話しています。男の人はこのあとまず何をしなければなりませんか。

M：あれ、チョコレートが残ってる。ケーキにチョコレートを入れるのを忘れた！
F：え、チョコレートはまだですよ。ケーキが焼けてから塗るんですよ。
M：え、ケーキの中に入れるんじゃないんですか。
F：焼けたケーキを上と下2枚に切って、その間に溶かしたチョコレートを塗って、はさみます。
M：なんだ、そうでしたか。じゃあ、今はケーキが焼けるのを待つんですね。
F：え、さっき説明しましたよ。焼けるのを待っている間に、今まで使った道具を片づけて、まわりをきれいにしてください。そして、チョコレートを溶かして、ケーキに塗る準備をします。
M：あ、わかりました。このなべにチョコレートを入れて溶かすんですね。
F：さっきも言いましたけど、チョコレートは大きいままなべに入れるのではありませんよ。まず、小さく切ってください。そして、なべに生クリームを入れて、生クリームが温まったらチョコレートを入れます。チョコレートを直接なべに入れると、熱すぎてチョコレートがこげてしまいますからね。
M：ふーん、チョコレートを溶かすのも、けっこう大変なんですね。
F：はい、休んでいるひまはありませんよ。作業をどんどん進めてください。あ、途中で焼けたケーキをオーブンから出して、冷やすのを忘れないでください。

男の人はこのあとまず何をしなければなりませんか。

ポイント
①「焼けたケーキを…溶かしたチョコレートを塗って、はさみます」→ケーキが焼けたあとで、チョコレートを塗る。
②「今はケーキが焼けるのを待つ」「焼けるのを待っている間に、今まで使った道具を片づけて…そして、チョコレートを溶かして」→ケーキが焼けるのを待っている間に、道具を片づける。そのあとで、チョコレートを溶かす。→道具を片づけてから、チョコレートを溶かす。
③「このなべにチョコレートを入れて溶かす」「まず、小さく切ってください…生クリームが温まったらチョコレートを入れます」→チョコレートを溶かすときは、先にチョコレートを切る。そのあとで、なべに生クリームを入れる。

④「途中で焼けたケーキをオーブンから出して、冷やす」→作業の途中（片づけをして、チョコレートを溶かしている間）にケーキが焼ける。そのあとでケーキを冷やす。→まず片づけを始める。
順番：❶道具を片づける ❷チョコレートを切る ❸生クリームを温める ❹チョコレートを入れる（❶から❹までの間に焼けたケーキを冷やす）

◇「休んでいるひまはありません」＝休む時間はありません→どんどん作業をする。

ことば
「チョコレート」chocolate　巧克力　쵸코렛
「ケーキを焼く」bake a cake　烤蛋糕　케익을 굽다
「溶かす」melt　溶解　녹이다
「なべ」pot　锅　냄비
「生クリーム」fresh cream　生奶油　생크림
「温まる」get warm　加热　따듯해지다
「こげる」get burnt　焦　눋다, 타다
「けっこう」＝思ったより、かなり　faily/rather, 〜er than one thought　很，相当　제법，그런대로
「作業」work, job　工作　작업
「進める」proceed　进展　진행하다
「途中」halfway, midway　路上，中途，进行中　도중
「オーブン」oven　烤箱　오븐

第2回

7ばん　正解 4

スクリプト
試験の前に先生と学生が話しています。学生がかばんにしまうのはどれですか。

M（先生）：これから試験を始めます。机の右上の角に受験票を、写真がよく見えるようにおいてください。机の上には、試験に必要ないものを置いてはいけません。筆記用具はえんぴつかシャープペンシル、消しゴムです。ボールペンは使用できません。
F（学生）：あのう、すみません。辞書が使えるんじゃないんですか。
M：辞書を使っていいのは3時間目の作文の試験だけです。
F：あ、はい。
M：えんぴつ、シャープペンシル、消しゴムがない人がいますか。なければ貸します。ほかの物は置いてはいけません。かばんにしまってください。
F：すみません。時計はいいですか。
M：時計は腕時計を使ってください。ない人は、この教室の、あの時計を見てください。

学生がかばんにしまうのはどれですか。

ポイント
①「机の右上の角に受験票を、写真がよく見えるようにおいてください」→受験票 (d) はしまわない。
②「試験に必要ないものを置いてはいけません」→必要でないものはしまう。
③「筆記用具はえんぴつかシャープペンシル、消しゴムです」→鉛筆 (e) と消しゴム (g) はしまわない。
④「ボールペンは使用できません」→ボールペン (f) は使えないので、しまう。
⑤「辞書を使っていいのは3時間目の作文の試験だけです」→辞書 (b) はしまう。
⑥「時計は腕時計を使ってください」→置き時計 (a) は使えない。→置き時計はしまう。
⑦電卓 (c) は必要ないので、しまう。

◇「辞書が使えるんじゃないんですか」＝辞書が使えると思っていましたが、使えないのですか。 I thought I could use a dictionary, but can I not? 本来以为能用字典的，可是不能用。 사전을 사용할 수 있다고 생각했는데, 사용할 수 없습니까?

ことば
「しまう」put away　收起来，做完　넣다
「角」corner　角　모서리, 귀퉁이
「受験票」examinee's ticket　准考证　수험표
「筆記用具」writing implements　笔记用具　필기도구
「シャープペンシル」mechanical pencil　自动铅笔　사프펜슬
「腕時計」(wrist) watch　手表　손목시계

8ばん　正解 1

スクリプト
男の店員と女の店員が話しています。男の店員は何をしなければなりませんか。

F：ねえ、何だかここ、ごちゃごちゃしてて、商品が見にくくない？
M：こんなふうに、商品がいっぱいあってにぎやかな感じ、ぼくは好きなんですけど……。
F：でもねえ、お客さんの気持ちになって考えなきゃ。にぎやかな雰囲気はいいけど、これじゃ、どこに何があるのかわからなくて、お客さんが品物を選びにくいでしょ。
M：そうですね。少し商品の数を減らしましょうか。
F：うーん、数を減らすのはね……。並べ方を工夫してみたら？　同じ種類のものを集めるとか。
M：うーん、同じ種類はちょっと。とにかくお客さんがほしいものを探しやすいように考えて、やってみます。
F：そう。それが終わったら、今日は帰りましょう。
M：はい。

男の人は何をしなければなりませんか。

ポイント
① 「数を減らすのはね……」→数は減らさない。
② 「並べ方を工夫してみたら？」＝もっといい並べ方を考えたほうがいいと思う。
③ 「うーん、同じ種類はちょっと」＝同じ種類のものを集めるのはいいとは思いません。
④ 「とにかくお客さんがほしいものを探しやすいように考えて、やってみます」→男の人はこれからもっといい並べ方を考えて、商品を並べ替える。
⑤ 「それが終わったら、今日は帰りましょう」→帰る前に、これから並べ替える。

⚠
◇「お客さんの気持ちになって考えなきゃ」＝お客さんがどう思うかを考えなければいけない。→お客さんが買い物をしやすいようにしなければならない。
　「（考え）なきゃ」＝「（考え）なければ」
◇「とにかく」＝考えることはあるけれど、今はそれは考えないで

ことば
「ごちゃごちゃしている」＝整理がされていない、いろいろなものが乱雑にある　not organized and various things are placed in a messy way　没有整理，各种物品很杂乱　정리되어 있지 않고, 여러가지 물건이 난잡하게 놓여있다
「雰囲気（ふんいき）」 atmosphere　气氛，空气　분위기
「工夫（くふう）する」 devise, contrive　下功夫　궁리하다

9ばん　正解 4

スクリプト
男の人と女の人が話しています。2人はまずどこへ行きますか。

M：このお店、なかなかよかったね。また来よう。
F：うん。おいしかったね。
M：あっ、そうだ。駅の向こうにも新しいお店ができたんだけど、ワインがすごくおいしいんだって。ちょっと、どう？
F：えっ、まだ飲むの？　私、ラーメンでも食べて帰りたいな。
M：おっ、ラーメンいいねえ。でも、まだ時間も早いし、ラーメンの前にちょっとだけ行ってみない？ ワインの店。駅から近いんだしさ。
F：もう、しょうがないなあ。ちょっとだけだよ。
M：よーし。行こう、行こう。あ、その前にあのコンビニに寄って、お金を出したいんだ。いい？
F：お金なら、私、あるわよ。
M：それは悪いよ。すぐそこなんだから、ちょっと寄ってよ。

F：はい、はい。

2人はまずどこへ行きますか。

ポイント
① 「私、ラーメンでも食べて帰りたいな」→女の人は帰る前にラーメンが食べたい。
② 「ラーメンの前にちょっとだけ行ってみない？ ワインの店」「もう、しょうがないなあ」→ラーメンを食べる前にワインの店へ行く。
③ 「その前にあのコンビニに寄って、お金を出したい」→ワインの店へ行く前にコンビニへ行く。
④ 「お金なら、私、あるわよ」→女の人は、自分がお金を持っているからコンビニへは行かなくてもいいと言っている。
⑤ 「それは悪いよ」→男の人は、女の人のお金をつかうことはできないと言っている。
⑥ 「ちょっと寄ってよ」「はい、はい」→まずコンビニへ行く。

⚠
◇「駅から近いんだしさ」＝駅から近いのだから
◇「もう、しょうがないなあ」＝しかたがない、そうしよう。：相手の言うことをしぶしぶ聞き入れるときの表現（ひょうげん）。 expression used when accepting reluctantly what the other person says　很勉强地答应对方的话时的表现。　상대방의 말을 마지못해 들어줄때의 표현.
◇「それは悪い」＝そうすることはできない

ことば
「ラーメン」 ramen　面条　라면
「コンビニ」 convenience store　便利店　편의점
「寄（よ）る」 stop by　顺便去　들르다

10ばん　正解 2

スクリプト
男の人と女の人が電話で話しています。女の人は何を買いますか。

F：もしもし、私。今スーパーの前にいるんだけど、何か買っていくものない？
M：そうだなあ。今夜はカレーを作ろうと思うんだけど、野菜（やさい）も肉（にく）もある。あ、バターが少ししかなかったけど、まあ今日は足りるからいいよ。
F：あっ、でも今日、バターが安いから買っとくね。ほかには？
M：う～ん。そうだなあ……。食事のあとに食べる何か……。
F：くだもの？
M：くだものよりもっと甘（あま）いものがいいなあ。
F：じゃあ、アイスクリームは？ この前食べたアイスクリーム、新しくりんごの味（あじ）のが出てるよ。

M：おれは前と同じのがいいな。
F：うん。わかった。じゃあ、買っていくね。

女の人は何を買いますか。

ポイント
①「野菜も肉もある」→野菜と肉は買わない。
②「バターが安いから買っとくね」→バターを買う。
③「この前食べたアイスクリーム、新しくりんごの味のが出てるよ」「おれは前と同じのがいいな」→アイスクリームを買う。

⚠️
◇「買っとく」＝「買っておく」
◇「おれは前と同じのがいい」＝新しい味のアイスクリームではなく、前に食べたのと同じ味のアイスクリームがいい

ことば
「カレー」 curry (and rice)　咖喱　카레
「バター」 butter　黄油　버터
「おれ」＝ぼく
「材料（ざいりょう）」 ingredients　材料, 原料　재료

11 ばん　正解 4
スクリプト
電話で男の人と女の人が話しています。男の人は何で行きますか。

F：はい、現代美術館でございます。
M：あ、すみません。今、山田駅にいるんですが、そちらへの行き方を教えていただけませんか。
F：はい。山田駅からでしたら、まず地下鉄で中町駅までいらっしゃってください。
M：中町駅ですね。
F：はい。中町駅で地下鉄中央線に乗り換えてください。
M：中央線というと、緑色の電車ですね。
F：あ、それは地下鉄ではありません。地下鉄は赤い線が入っています。
M：あ、わかりました。
F：中町駅から10分ぐらいでみどり山駅に着きます。着いたら、駅前の道をまっすぐ歩いてきてください。15分ぐらいで着きます。
M：歩いて15分かあ。あのう、駅前からバスはありませんか。
F：あります。バスでしたら5分ですが、1時間に1本しかないんです。
M：じゃあ、時間を調べて、その時間に合わせて行けばいいですね。どうもありがとうございました。

男の人は何で行きますか。

ポイント
①「まず地下鉄で中町駅までいらっしゃってください」「中町駅で地下鉄中央線に乗り換えてください」→地下鉄に2回乗る。
②「中央線というと緑色の電車ですね」「それは地下鉄ではありません」→緑色の電車には乗らない。
③「着いたら、駅前の道をまっすぐ歩いてきてください。15分ぐらいで着きます」「歩いて15分かあ」→駅から美術館まで15分も歩きたくない。
④「駅前からバスはありませんか」→バスがあれば、バスに乗りたい。
⑤「1時間に1本しかないんです」→バスは1時間に1回しか来ないので不便だ。
⑥「時間を調べて、その時間に合わせて行けばいいですね」＝バスの時間を調べておいて、その時間に行けば待たなくてもいいですね。→バスに乗る。

ことば
「合（あ）わせる」 be at a place at about the same time as something
対照, 調合　맞추다

12 ばん　正解 3
スクリプト
男の人と女の人が話しています。女の人はこのあと何をしますか。

M（課長）：田中君、明日の出張の準備はできた？
F（田中）：はい。だいたいできました。
M：向こうでやる発表の資料は？
F：はい。あと、今年のデータを入れれば終わります。
M：そうか。じゃあ、30分後に見せてくれる？
F：はい。お願いします。
M：あ、それから、向こうに着いたら、佐藤君にこの書類を渡してくれ。
F：はい。
M：で、これを読んだらすぐに私に連絡するように言ってくれ。
F：はい。わかりました。
M：じゃあ、よろしく。

田中さんはこのあと何をしますか。

ポイント
①「あと、今年のデータを入れれば終わります」→今年のデータを入れる。
②「30分後に見せてくれる？」「はい」→このあと今年のデータを入れて、30分後に課長に発表の資料を見せる。
③「向こうに着いたら、佐藤君にこの書類を渡してくれ」→明日、佐藤さんに書類を渡す。
④「で、これを読んだらすぐに私に連絡するように言っ

てくれ」→佐藤さんに書類を渡したあと、佐藤さんに「これを読んだらすぐに課長に連絡してください」と言う。→佐藤さんが課長に連絡する。

⚠
◇「向こうでやる発表」＝出張で行ったところでする発表
◇「向こうに着いたら、佐藤君にこの書類を渡してくれ。で、これを読んだらすぐに私に連絡するように言ってくれ。」
「で、」＝それで／そして
「A。で、B。」＝ A。それで／そして、B

ことば
「出張」business trip　出差　출장
「発表」presentation　发表　발표
「資料」material, datum　资料　자료
「データ」datum, data　数据，论据，资料　데이터
「書類」documents, papers　文件　서류

第3回
13 ばん　正解 2

スクリプト
男の人と女の人が名前を書いた紙を見て話しています。女の人はだれに連絡しますか。

F：佐藤さん、すみません。明日のミーティング、何時からですか。
M：あ、いけない。時間と場所を言っていなかったね。10時から、第2会議室なんだ。西川さん、悪いけど、みんなに連絡してくれないかな。これが出席者の名前なんだけど。
F：はい、わかりました。すぐ連絡します。あ、でも、営業部の田中課長と山田さんは今会議中なので、会議が終わったら伝えます。
M：うん。南工場のほうは、ぼくが今から行くから、木村君と鈴木君には向こうで伝えとくよ。それと、中田さんと青木さんには受付を手伝ってほしいと伝えて。
F：はい、わかりました。あのう、大山部長は今中国にいらっしゃってますが。
M：ああ、そうだった。じゃあ、部長はいいね。
F：はい、わかりました。

女の人はだれに連絡しますか。

ポイント
①「佐藤さん」→男の人の名前は佐藤さん。→連絡する必要はない。
②「西川さん」→女の人の名前は西川さん。→連絡する必要はない。
③「営業部の田中課長と山田さんは今会議中なので、会議が終わったら伝えます」→女の人は田中さんと山田さんに連絡する。
④「木村君と鈴木君には向こうで伝えとくよ」→男の人が木村さんと鈴木さんに連絡する。
⑤「中田さんと青木さんには受付を手伝ってほしいと伝えて」→女の人は、中田さんと青木さんに連絡する。
⑥「部長はいいね」→部長には連絡しない。

⚠
◇「悪いけど～くれないかな」＝すみませんが～してください
◇「中国にいらっしゃってます」＝「中国にいらっしゃっています」＝中国に行っています〈尊敬表現 honorific expression　尊敬表现　존경표현〉→中国にいる。
◇「ああ、そうだった」＝今気がついた　I remember now. 现在发觉了。 지금 깨닫다.

ことば
「ミーティング」meeting　会议　미팅
「第～」the (second)〈used before ordinal numbers〉第～　제～
「会議室」conference room　会议室　회의실
「出席者」attendee　出席者　출석자
「営業部」sales department　营业部　영업부
「課長」section manager　科长　과장
「部長」department manager　部长　부장

14 ばん　正解 2

スクリプト
父親と子どもが話しています。二人は誕生日に何をしますか。

子：来週の土曜日、ぼくのお誕生日だよ。
父：そうだね。お祝いをしようね。
子：ぼく、「動物ランド」へ行って、動物と遊びたい。そして、そのあとレストランへ行っておいしいものを食べるの。
父：そうだねえ。でも、「動物ランド」は遠いし、来週はお父さんが忙しいから、ちょっとねえ……。
子：えーっ。
父：それに今、寒いから、「動物ランド」はまた今度にしないか。そのかわり、おうちでパーティーをしよう。
子：う～ん。
父：お母さんにおいしいもの、たくさん作ってもらおう。何が食べたい？
子：え～っと、お肉でしょ、おすしでしょ、あっ、ケーキも。
父：いいね。おじいちゃんとおばあちゃんも呼ぼうか。
子：うん！ じゃ、電話する。
父：えっ、今？
子：うん、おじいちゃんとおばあちゃん、よくお出かけするから早く約束しなくっちゃね。

二人は誕生日に何をしますか。

ポイント
① 「ぼく、『動物ランド』へ行って、動物と遊びたい」→男の子は「動物ランド」へ行きたいと思っている。
② 「『動物ランド』は遠いし、来週はお父さんが忙しいから、ちょっとねえ……」→お父さんは「動物ランド」へ行けない。
③ 「『動物ランド』はまた今度にしないか」＝「動物ランド」へ行くのはまた別のときにしよう。→「動物ランド」へ行かない。
④ 「そのかわり、おうちでパーティーをしよう」→家でパーティーをする。
⑤ 「おじいちゃんとおばあちゃんも呼ぼうか」→おじいさんとおばあさんを呼んで、家でパーティーをする。

⚠
◇「約束しなくっちゃ」＝「約束しなくては（いけない）」

15 ばん　正解 3

スクリプト
歯医者の受付で男の人と女の人が話しています。男の人は何曜日の何時を予約しますか。

F：次の予約は、いかがなさいますか。
M：あのう、できるだけ早いほうがいいんですが……。今週は空いていませんか。
F：そうですねえ。木曜日の、今日と同じ9時はいかがですか。
M：あっ、すみません。次からは夕方にしたいんです。仕事があって……。夕方6時ぐらいだったら来られるんですが。
F：そうですかあ。木曜日の夕方はもう予約が入っていますね。あ、来週の火曜日の6時でしたら空いていますが、来週ですからね……。あと、土曜日はいかがですか。土曜日は午前9時からと11時から、午後は、1時、3時、5時、6時もだいじょうぶですが……。
M：土曜日かあ。そうだなあ。土曜日なら会社も休みだし、今週は予定もないし、朝早くすめばあとの時間が十分使えるし……。
F：早い時間ですと、9時になりますが。
M：はい。それでお願いします。

男の人は何曜日の何時を予約しますか。

ポイント
① 「今週は空いていませんか」→今週がいい。
② 「木曜日の、今日と同じ9時はいかがですか」「次からは夕方にしたいんです。仕事があって……」→木曜日の9時は来られない。
③ 「夕方6時ぐらいだったら来られるんですが」「木曜日の夕方はもう予約が入っていますね」→木曜日の6時は予約できない。
④ 「来週の火曜日の6時でしたら空いていますが、来週ですからね……」→今週の火曜日の6時は空いていない。
⑤ 「土曜日は午前9時からと11時から、午後は、1時、3時、5時、6時もだいじょうぶですが……」「土曜日なら会社も休みだし…朝早くすめばあとの時間が十分使えるし……」→土曜日の早い時間がいい。
⑥ 「早い時間ですと、9時になります」→土曜日の9時を予約する。

⚠
◇「いかがなさいますか」＝どうしますか〈尊敬表現　honorific expression　尊敬表現　존경표현〉
◇「予約が入っています」→ほかの人が予約している。

16 ばん　正解 4

スクリプト
男の人と女の人が大学で話しています。男の人はこのあと何をしますか。

M：先生、明日の研究会の資料50部、できました。
F：あ、お疲れさま。あとは、受付用の名簿がいるね。
M：はい、もう準備してあります。でも、名札はこれからです。
F：そう。ええと、じゃあ、1時から会場の準備をすることにしましょう。……会場は2階の会議室ね。それまでにお昼、済ませておいて。もう12時過ぎてるから。
M：はい。では、名札はあとにします。

男の人はこのあと何をしますか。

ポイント
① 「はい、もう準備してあります」→名簿はもう作った。
② 「名札はこれからです」→名札はこれから作る。
③ 「1時から会場の準備をすることにしましょう」→1時から会場の準備をする。
④ 「それまでにお昼、済ませておいて。もう12時過ぎてるから」＝1時までに昼ご飯を食べてしまってください。今はもう12時過ぎだから。→今から昼ご飯を食べる。
⑤ 「では、名札はあとにします」→名札は昼ご飯を食べたあとで作る。

ことば
「資料」datum, data　资料　자료
「〜部」：本、書類、パンフレットなど印刷物の数を表す言葉。
「名簿」name list　名册，名册　명부
「名札」name tag　姓名牌　명찰

17 ばん　正解 4

スクリプト

男の人と女の人が話しています。女の人はこのあとどうしますか。

F：あれ？またた。
M：どうしたの？
F：このケータイ、買ったばかりなんだけど、メールを送ろうとすると電源が切れちゃうの。いつもではないんだけど……。
M：それ、おかしいよ。故障してるんじゃない？
F：ほかは問題ないんだけどな。調べてもらったほうがいいかな。
M：そのほうがいいよ。メールが送れないと、不便だろ？
F：うん。……さっきは送れたのに。
M：サービスセンターに電話して聞いてみる？……でも、直接店に行ったほうがいいと思うよ。
F：うん。でも今日これからバイトなんだ。
M：駅前の店、9時までやってるよ。
F：そう。じゃあ、だいじょうぶだね。

女の人はこのあとどうしますか。

ポイント

①「調べてもらったほうがいいかな」「そのほうがいいよ」→ケータイを調べてもらったほうがいい。
②「サービスセンターに電話して聞いてみる？……でも、直接店に行ったほうがいいと思うよ」＝サービスセンターに電話するより直接店に行ったほうがいい→サービスセンターには電話しない。
③「これからバイトなんだ」＝これからアルバイトに行かなければならない。→今駅前の店に行くことはできない。
④「駅前の店、9時までやってるよ」＝駅前の店は9時まで開いている。
⑤「じゃあ、だいじょうぶだね」＝9時まで店が開いているから、バイトが終わったあとで行ってもだいじょうぶだ。→先にアルバイトに行く。

⚠
◇「9時までやってるよ」＝「9時までやっているよ」→9時まで店が開いている。

ことば

「ケータイ」＝携帯電話　cellphone　手机　휴대전화
「メール」email　邮件、电子邮件　메일
「電源」power (source)　电源　전원
「故障する」break down, get out of order　出故障　고장나다
「サービスセンター」repair/service center　服务中心　서비스센터
「直接」directly　直接　직접
「バイト」＝アルバイト

18 ばん　正解 3

スクリプト

銀行で銀行員と男の人が話しています。男の人はこのあと何をしますか。

F（銀行員）：いらっしゃいませ。
M：あのう、引っ越しをしたので住所変更をしたいのですが。
F：はい。では、こちらの申し込み用紙に新しいご住所を書いていただきたいのですが。
M：ええ。昨日その用紙をもらって帰って、家で書いてきたんです。
F：そうですか。では、あちらの番号の札を取ってお待ちください。
M：はい。わかりました。
F：15分くらいお待ちいただくかと思います。
M：あのう、その間にあちらの機械でお金を出したいんですが。
F：順番に番号をお呼びしますが、あちらにいらっしゃっても聞こえますよ。
M：そうですか。じゃあ、だいじょうぶですね。

男の人はこのあと何をしますか。

ポイント

①「新しいご住所を書いていただきたい」「家で書いてきたんです」→新しい住所はもう書いた。→ここでは書かない。
②「では、あちらの番号の札を取ってお待ちください」→番号札を取って待つ。
③「15分くらいお待ちいただくかと思います」「その間にあちらの機械でお金を出したい」→待っている間に機械でお金を出したい。
④「あちらにいらっしゃっても聞こえますよ」→機械があるところにいても自分の番号を呼ぶ声が聞こえる。→番号の札を取ったあと、お金を出しに行ってもだいじょうぶだ。
⑤「じゃあ、だいじょうぶですね」→お金を出しに行く。

⚠
◇「お待ちいただく」：「待ってもらう」のていねいな言い方。
◇「お呼びします」：「呼びます」のていねいな言い方。
◇「お待ちいただくかと思います」＝待ってもらうことになるでしょう

ことば

「住所変更」change of address　住址变更　주소변경
「申し込み用紙」application form　申请表　신청용지
「番号(の)札」number tab　号码牌　번호표
「札を取る」take a tab　取牌　표를 뽑다

第4回

19ばん　正解4

スクリプト

男の人と女の人がメモを見ながら話しています。女の人は何をしますか。

M：えー、こんなにたくさんやることがあるの？　休みの日はゆっくり休もうよ。
F：そんなこと言わないで。ね。ジョンの散歩ならいいでしょ。公園、さくらがきれいよ。ついでに買い物も頼みたいけど、スーパー、犬は入れないから。
M：うん、そうだ。でも、手紙なら途中のポストで出せるよ。
F：えっ？　あ、これ？　これから書くの。山田先生に、私が。
M：なーんだ。お、ケーキか。いいね。公園の前の店のケーキはどう？　買ってくるよ。
F：えー、作ろうと思って書いたんだけど。あそこのケーキも、いいわね。
M：いやいや。君のチョコレートケーキもなかなかのもんだよ。
F：そう？　じゃあ、やっぱりがんばるか。
M：それじゃあ、ぼくは掃除をしよう。今日は午後から雨だから、庭の花に水やりはいらないよ。
F：そう？　ありがとう。じゃあ、あとは私がやるね。

女の人は何をしますか。

ポイント
①「ジョンの散歩ならいいでしょ」→ジョン（犬）の散歩を男の人に頼んだ。
②「買い物も頼みたいけど、スーパー、犬は入れないから」→買い物は頼まない。
③「これから書くの。山田先生に、私が」→手紙は女の人が書く。
④「作ろうと思って書いた」→女の人はケーキを作るつもりだった。
⑤「やっぱりがんばるか」→女の人がケーキを作る。
⑥「ぼくは掃除をしよう」→男の人が掃除をする。
⑦「庭の花に水やりはいらない」→水やりはしなくていい。
⑧「あとは私がやるね」→男の人がしないことは女の人がする。→男の人がすること：ジョン（犬）の散歩、掃除→女の人がすること：買い物、ケーキ、手紙

⚠
◇「なかなかのもんだよ」＝上手だよ（おいしいよ）

ことば
「さくら」cherry blossoms　櫻花　벚꽃
「途中」on one's way　中途　도중
「ポスト」mailbox, postbox　信箱　우체통
「水やり」watering (a plant)　澆水　물주기

20ばん　正解2

スクリプト

バスの中で学校のテニス部の男子学生が話しています。昼ご飯を食べたあと、何時にどこに集まりますか。

M：みなさん、まもなくテニスセンターに着きます。お疲れさまでした。えーっと、着いたらまずセンターのロビーに集まってください。部屋の番号をお知らせします。そのあと、部屋に荷物を置いたら、食堂でお昼ご飯を食べてください。昼食は12時から1時までです。それぞれ適当に食べてください。昼食後は少し休憩したあと、2時から練習を始めます。練習の前に準備をしなければいけませんから、15分前にはテニスコートに集まってください。夕食は、バーベキューをします。6時から庭でやります。遅れないように集まってください。

昼ご飯を食べたあと、何時にどこに集まりますか。

ポイント
①「それぞれ適当に食べてください」→昼食は自由に食べていい。→食堂には集まらない。
②「2時から練習を始めます…15分前にはテニスコートに集まってください」→2時15分前にテニスコートに集まる。

⚠
◇「それぞれ適当に」＝決められていないので、各自が都合のいいように（する）each person can do as is convenient for him/her because there isn't a set plan　因为没有决定，所以大家自由行动　정해져있지 않으므로、각자 편한대로 (하다)

ことば
「まもなく」＝もうすぐ
「休憩する」take a break　休息　휴식을 취하다
「バーベキュー」barbecue　燒烤　바베큐

21ばん　正解1

スクリプト

会社で男の人と女の人が話しています。女の人はまず何をしなければなりませんか。

M（課長）：上田さん、午後3時からのミーティング、場所は2階の201会議室だったよね。
F（上田）：え？　課長、その部屋は明後日の会議じゃありませんか。
M：あ、そう？　じゃあ、今日はどこだっけ。
F：206の部屋だと思いますけど……。
M：え？　たった5人のミーティングなのにあそこを使うの？　ちょっと広すぎるんじゃないかなあ。
F：はあ、そうですね。では、すぐ確認します。
M：それから、この資料、ミーティングで使うから5

部コピーしてもらいたいんだ。田中さんにコピー、頼んでくれない？
F：あ、コピーでしたら、私があとで。
M：そう？　悪いね。じゃあ、よろしく。

女の人はまず何をしなければなりませんか。

ポイント
①「206の部屋だと思いますけど……」「すぐ確認します」→これからすぐミーティングの場所を確かめる。
②「田中さんにコピー、頼んでくれない？」「コピーでしたら、私があとで」「そう？　悪いね」→女の人はミーティングの場所を確かめたあとで、コピーをする。→女の人がコピーをするので、田中さんには頼まない。→田中さんに連絡する必要はない。

⚠
◇「今日はどこだっけ」＝今日はどこでしたか
「〜っけ」：確認するときの表現。親しい間柄で使う。
used when making a confirmation and used among close friends/people　确认时的表现，在和关系亲密的人说话时使用。　확인할 때의 표현. 친한 사이에서 사용한다.
◇「コピーでしたら、私があとで」＝コピーは私があとでします。
◇「そう？　悪いね」＝ありがとう。（コピーをあなたに頼んで）申し訳ない。

ことば
「ミーティング」meeting　会议　미팅
「課長」section manager　科长　과장
「確認する」confirm　确认　확인하다
「資料」datum/data　资料　자료
「〜部」：本、書類、パンフレットなど印刷物の数を表す言葉。

22ばん　正解1

スクリプト
病院の受付の人と男の人が話しています。男の人は何科へ行きますか。

M：あの、初めてなんですが……。先週から鼻水とせきが出て……。アレルギーかかぜかわからないんです。
F：耳鼻科か内科ですね。熱はどうですか。
M：ちょっとあります。
F：そうですか。熱があるのでしたら、内科か……小児科ですね。
M：あのう、ぼく、まだ15歳なのでいつも小児科に行くように言われるんです。でも、小児科はちょっと。もう高校生ですから。
F：わかりました。では、まず内科で診察を受けてください。診察の結果、耳鼻科のほうがいいということ
になったら、そのあと耳鼻科の診察を受けられますから。
M：そうですか。じゃあ、そうします。

男の人は何科へ行きますか。

ポイント
①「熱があるのでしたら、内科か……小児科ですね」→内科か小児科へ行く。
②「いつも小児科に行くように言われる … 小児科はちょっと」→小児科へ行きなさいと言われるが、小児科へは行きたくない。
③「まず内科で診察を受けてください」→内科へ行く。
④「耳鼻科のほうがいいということになったら、そのあと耳鼻科の診察を受けられます」＝耳鼻科のほうがいい場合は、内科へ行ったあと、耳鼻科へ行くことができる。→今は耳鼻科に行くかどうかわからない。

⚠
◇「初めてなんですが……」→この病院に来たのは初めてなので、どうしたらいいか教えてもらいたい。
◇「耳鼻科のほうがいいということになったら」＝内科の先生が『耳鼻科へ行ったほうがいい』と言ったら

ことば
「鼻水」runny nose　鼻涕　콧물
「せき」cough　咳嗽　기침
「アレルギー」allergy　过敏　알레르기
「耳鼻科」ear, nose, and throat department　耳鼻科　이비인후과
「内科」department of internal medicine　内科　내과
「小児科」pediatrics　小儿科　소아과
「診察を受ける」receive medical examination　接受检查　진찰받다
「結果」result　结果　결과

23ばん　正解2

スクリプト
男の人と女の人が話しています。女の人はこれから何をしますか。

M（弟）：姉さん、そんなに急いで、どうしたの？どこへ行くの？
F（姉）：あ、コンビニ。急いで書類を送らなくちゃいけなくて。宅配便でこれから出すんだけど、明日の何時ごろに届くかな。
M：あて先は？　あ、市内だね。だったら、早ければ明日の午前中だと思うよ。
F：そう。午前中というと何時ごろかしら。明日の朝、10時に着かないとだめなんだけど。
M：郵便局だったら、次の日の午前10時までに届けてくれるサービスがあるよ。普通の郵便よりちょっと高いけどね。

F：いくらぐらい？
M：前にぼくが出したときは、これと似たような荷物で600円か700円ぐらいだったと思うけど。
F：それくらいならだいじょうぶ。あ、よかった。何とか間に合うわ。じゃ、郵便局へ行ってきまーす。
M：あ、確か、電話をすれば取りに来てくれるはずだよ。電話してみたら？
F：ええ。でも、ほかに用事もあるから。
M：あ、そう。

女の人はこれから何をしますか。

ポイント
①「コンビニ。・・・宅配便でこれから出す」→女の人は宅配便を出すためにコンビニへ行くところだ。
②「明日の朝、10時に着かないとだめなんだ」「郵便局だったら、次の日の午前10時までに届けてくれるサービスがあるよ」→郵便には、次の日の朝10時までに届く便がある。
③「ちょっと高いけどね」「それくらいならだいじょうぶ・・・郵便局へ行ってきまーす」→値段も問題がないので、郵便局へ行って、次の日の朝10時までに届く便で出す。 The price is OK, so one goes to the post office and sends them (documents) by a special delivery that guarantees delivery by 10:00AM the next day. 价格也没有问题，去邮局以明天早上10点以前到达的邮件寄出。 금액도 문제가 없으니, 우체국에 가서 다음날 아침 10시까지 도착하는 편으로 부치다.
④「電話してみたら？」「ほかに用事もあるから」→電話して荷物を取りに来てもらうこともできるが、出かける用事がほかにもあるから、電話はしない。 I could call and ask them to come pick my parcel, but I'm not going to do it because I need to go out anyway for something else. 打电话让（他）来取物品也是可以的，但是因为有别的事外出，所以不打电话。 전화해서 짐을 받으러 오라고 할 수도 있지만, 외출할 다른 용건도 있으니 전화는 하지 않는다. →郵便局へ行く。

ことば
「書類」documents, papers 文件 서류
「宅配便」home delivery service 送货上门 택배편
「あて先」address 收信(件)人的姓名，地址 수신인
「市内」inside the city, within the city limits 市内 시내
「取りに来る」come pick 来取 받으러 오다

24ばん　正解3

スクリプト
男の人と女の人が花の育て方について話しています。女の人はまずどうしますか。

F：この花、きれいだったのに、最近元気がなくなってきたんですよ。
M：水のやりすぎではありませんか。
F：買ったときに言われた通り、3日に1回やってますが。
M：そうですか。日光には当てていますか。
F：はい。太陽の光が入る窓のそばに置いています。
M：そうですか。じゃ、栄養が足りないのかもしれませんね。
F：栄養？
M：ええ、土にこの栄養剤をまぜてみてください。それでもだめだったら、土を全部入れ替えたほうがいいですね。
F：わかりました。じゃ、やってみます。

女の人はまずどうしますか。

ポイント
①「買ったときに言われた通り、3日に1回やってますが」＝水は言われた通りにやっている。→やりすぎではない。
②「太陽の光が入る窓のそばに置いています」＝日光に当てている。→問題はない。
③「土にこの栄養剤をまぜてみてください」→栄養剤を土に入れる。
④「それでもだめだったら、土を全部入れ替えたほうがいいですね」＝栄養剤を入れてもだめなときは、土を入れ替える。→すぐに入れ替えなくてもいい。

◇「やってます」＝「やっています」

ことば
「日光に当てる」expose ～ to the sun 晒太阳 햇볕을 쬐다
「栄養」nutrition 营养 영양
「栄養剤」nutritional supplement 营养品, 营养剂 영양제
「入れ替える」replace 更换 갈아넣다

第5回

25ばん　正解3

スクリプト
男の人と女の人がレンタカーの料金表を見ながら話しています。男の人はいくら払いますか。

M：友だちと今度の日曜日に高山に行こうと思ってるんです。山なのでエンジンが大きめの車を借りたいんですが。
F：それでしたら、RVはいかがですか。力も強いし、山を走るにはぴったりですが。
M：いや、RVじゃなくて普通の乗用車がいいんですが。
F：そうですか。では、こちらですね。エンジンの大きさによって1000cc、1500cc、2500cc、3つのタイプがあります。この2500ccタイプでしたら、エンジンも大きいので山道でもよく走ります。車の中も広くてゆったりしています。もしお荷物が多

ければ、ミニバンもおすすめですが。
M：いや、荷物は多くないんです。でもこれ、9,500円ですか。高いなあ。
F：あのう、渋滞を考えると12時間のほうがいいと思いますよ。超過料金を払うとかえって高くなりますから。
M：う〜ん、そうかぁ……。わかりました。そうします。でも、また高くなるなあ。
F：あのう、人数が多くなければ、1000ccタイプでも十分だと思います。料金も半分になりますし。
M：う〜ん、1000ccじゃねえ。ちょっと小さいな。もう少し大きくないと。
F：でしたら、こちらはいかがですか。料金も2500ccよりは安いですし……。
M：うん、そうですね。それにします。

男の人はいくら払いますか。

ポイント
① 「RVじゃなくて普通の乗用車がいい」→ RVは借りない。
② 「この2500ccタイプでしたら」→店員は2500ccタイプの車をすすめている。The salesperson recommends a 2500cc type car. 店员在推荐2500cc型的汽车。 점원은 2500cc 타입의 차를 추천하고 있다.
③ 「荷物は多くない」→ミニバンは借りない。
④ 「これ、9,500円ですか。高いなあ」→乗用車2500ccタイプは高いと思う。
⑤ 「そうします」→6時間ではなく、12時間借りることにする。
⑥ 「1000ccじゃねえ。ちょっと小さいな。もう少し大きくないと」→乗用車1000ccタイプは小さいから借りない。
⑦ 「料金も2500ccよりは安いです」→女の人は2500ccタイプより一つ下のクラス（＝1500ccタイプ）をすすめている。The woman recommends one which is one class lower (=1500cc) than the 2500cc type. 女士在推荐比2500cc型小一级的车种（=1500cc）。 여자는 2500cc 타입보다 한단계 아래 클래스（=1500cc 타입）를 추천하고 있다.
⑧ 「それにします」→乗用車1500タイプを借りる。

⚠
◇「思って(い)るんです」＝「思っているのです」
◇「渋滞を考えると」＝ドライブの途中で渋滞するかもしれないから　because we may have bumper to bumper traffic while driving　因为在驾驶途中可能会堵车　드라이브 중에 정체될지도 모르므로
◇「超過料金を払うとかえって高くなります」＝（6時間の料金のほうが12時間の料金より安いと思って6時間借りることにすると、6時間以内で戻れなかった場合は超過料金を払わなければならない。しかし、）6時間の料金と超過料金を払うと、思ったのとは反対に12時間の料金より高くなってしまう (If you rent a car for six hours because you think it must be cheaper than renting it for 12 hours, you may need to pay overtime charge if you cannot return it within 6 hours. But) if you pay the 6-hour charge plus overtime charge, it will end up costing more than the 12-hour fee. （如果认为6个小时的价钱比12个小时的价钱便宜而借6个小时，在6个小时内回不来的话，必须支付超时费，但是）支付半天的金额和超时费的话，和你想的相反，反而比支付12个小时的金额来得高。(6시간 요금이 12시간 요금보다 저렴해서 6시간만 빌리면, 6시간내에 돌아오지 못했을 경우 초과요금을 지불해야 한다. 그러나,) 6시간 요금과 초과요금을 지불하면, 생각한 것과 달리 12시간 요금보다 비싸지게 됩니다.

◇「1000ccタイプでも十分だと思います」＝1000ccタイプでも山道を走ることができると思います

ことば
「レンタカー」 rent-a-car　租赁汽车　렌터카
「料金表」 price list　费用表　요금표
「エンジン」 engine　发动机　엔진
「大きめ」 larger　大的　조금 큼
「RV」 recreational vehicle　露营车　레저용 차
「乗用車」 passenger car　小汽车　승용차
「タイプ」 type　种类　타입
「ゆったりしている」 spacious　很宽敞　넉넉하고 편안하다
「おすすめ」 recommended item　推荐　추천
「渋滞」 bumper to bumper traffic　堵车　교통체증
「超過料金」 overtime charge　超时费　초과요금
「かえって」 rather　反而　오히려

26ばん　正解2

スクリプト
女の人と男の人が天気予報を見ながら話しています。男の人はこのあとまず何をしますか。

F：どうしよう。台風が今夜から明日の朝にかけて来るみたいよ。かなり大きいんだって。
M：えっ、大変だ。明日の朝、電車はだいじょうぶかな。
F：それよりも今夜が心配よ。夜中に停電するかもしれないし。
M：そうだな。懐中電灯はあったよな。
F：うん。でも電池が。ねえ、今ちょっと買ってきてくれない？
M：わかった。ペットボトルの水も買っといたほうがいいよね。
F：そうね。あ、そうだ、車を車庫に入れないと。
M：うん、そうだね。あとで入れるよ。あ、ふろに水をためておいたほうがいいんじゃない？　水が出な

くなると困るから。
F：あ、それは私がやっとく。

男の人はこのあとまず何をしますか。

ポイント
① 「でも電池が」→電池がない。
② 「ねえ、今ちょっと買ってきてくれない？」「わかった」→男の人は電池を買いに行く。
③ 「ペットボトルの水も買っといたほうがいいよね」「そうね」→水も買う。
④ 「車を車庫に入れないと」「あとで入れるよ」→男の人は電池と水を買いに行ったあとで、車を車庫に入れる。
⑤ 「ふろに水をためておいたほうがいいんじゃない？」「それは私がやっとく」→女の人がふろに水をためる。

⚠️
◇「今夜から明日の朝にかけて」＝今夜から明日の朝までの間に
◇「やっとく」＝「やっておく」

ことば
「夜中 よなか」 midnight　半夜　한밤중
「停電 ていでん する」 power (supply) is cut off　停电　정전되다
「懐中 かいちゅう 電灯 でんとう 」 flash light　手电筒　손전등
「電池 でんち 」 battery　电池　전지
「ペットボトル」 plastic bottle, PET bottle (PET: polyethylene terephthalate)　塑料瓶　페트병
「車庫 しゃこ 」 garage　车库　차고
「水 みず をためる」 store water　积水　물을 저장하다

27 ばん　正解 2

スクリプト
会社で男の人と女の人が話しています。女の人はこれからどうしますか。

F：課長、来週の出張のことなんですが……。
M（課長）：出張？　ああ、火曜日、大阪の会議に出てもらうんだったね。すまないね。ちょっと朝早いからね。火曜日の朝じゃなくて、月曜日の午後から大阪に行くか。
F：いえ、もう朝の飛行機を予約しました。あの……実は、あちらの部長が今度の企画についてずいぶん心配していらっしゃるようで……。
M：うん、それは知っているが、君がよく説明すればだいじょうぶだろう。
F：はい……、そうなんですが……。課長にも会議に出席していただけたらあちらの部長も安心なさると思うんですが。
M：そうだなぁ……。その日は特別な予定もないし、じゃ、そうするか。でも、私は朝早いのが苦手だ

から、前の夜、新幹線で先に行くよ。
F：ありがとうございます。よろしくお願いします。では、切符を取っておきます。
M：わかった。

女の人はこれからどうしますか。

ポイント
① 「火曜日、大阪の会議に出てもらうんだったね」→女の人は火曜日に大阪で会議に出る。
② 「朝の飛行機を予約しました」→女の人は火曜日の朝の飛行機を予約した。
③ 「課長にも会議に出席していただけたらあちらの部長も安心なさると思うんですが」「じゃ、そうするか」→課長も会議に出席する。
④ 「前の夜、新幹線で先に行くよ」→男の人は月曜日の夜に新幹線で大阪へ行く。
⑤ 「切符を取っておきます」→女の人は月曜日の夜の新幹線の切符を取る。

⚠️
◇「すまないね」＝悪いね
◇「朝早いのが苦手だ」＝朝早く起きるのは、難しい／好きではない　Getting up early in the morning is difficult./I don't like getting up early in the morning.　早起很难／不喜欢早起　아침일찍 일어나는 것은 어렵다／좋아하지 않다

ことば
「課長 かちょう 」 section manager　科长　과장
「出張 しゅっちょう 」 business trip　出差　출장
「部長 ぶちょう 」 department head　部长　부장
「企画 きかく 」 project　企划，规划　기획

28 ばん　正解 2

スクリプト
高校生が先生に勉強方法について質問しています。このあと高校生は何をしますか。

M（高校生）：先生、受験に歴史が必要なんですが、歴史はどうしても好きになれなくて。
F（先生）：好きになる方法ねえ。難しいですねえ。
M：ええ。だから、教科書の中の必要なところを覚えてしまうことにしたんです。
F：でも、ただ覚えるだけじゃ問題には答えられないでしょう？
M：そうなんです。それでますます勉強するのがいやになってしまって……。
F：歴史の小説や映画は？　おもしろいし、理解しやすいと思いますよ。
M：でも、先生、時間が。あと3か月しかないんです。ほかの科目の勉強もあるし。
F：うーん、じゃあ、まんがは？　短い時間で全体がわ

かりますよ。まんがで歴史の流れを理解してから覚えたら、よく覚えられますよ。
M：あ、なるほど。まんがなら、時間がかかりませんね。本屋に行ってみます。
F：わざわざ買わなくても、学校の図書室にありますよ。
M：え、そうなんですか。じゃ、さっそく行ってみます。ありがとうございました。

このあと高校生は何をしますか。

ポイント

① 「ただ覚えるだけじゃ問題には答えられない」→覚えるだけではだめだ。
② 「歴史の小説や映画は？」「でも、先生、時間が。あと3か月しかないんです」→小説や映画で勉強するのは時間がかかる。もう試験が近いので時間がないから、この勉強法はだめだ。
③ 「じゃあ、まんがは？」「まんがなら、時間がかかりませんね」→まんがで勉強するのがいい。
④ 「わざわざ買わなくても、学校の図書室にありますよ」＝まんがは図書室で借りられるから買う必要はない。→図書室で借りる。
⑤ 「じゃ、さっそく行ってみます」→これからすぐ図書室へ行く。

◇「わざわざ買わなくても」→買う必要はない。

ことば

「受験」(college) entrance examination　接受考試　수험
「歴史」history　歴史　역사
「科目」subject　科目　과목
「歴史の流れ」historical timeline　歴史的潮流　역사의 흐름
「理解する」understand　理解　이해하다
「わざわざ」bother to (do something)　特意，特地　일부러
「さっそく」＝すぐ

29 ばん　正解 4

スクリプト

母親と息子が話しています。息子は、はじめにどこへ行きますか。

F（母）：太郎、ちょっと買い物に行ってきてくれない？
M（息子）：いいけど、これからちょっと田中君の家にノートを返しに行かなきゃなんないんだ。
F：あ、そう。じゃ、帰りでいいからスーパーで牛乳と卵買ってきて。
M：うん、わかった。
F：あ、そうだ。クリーニング屋さんに寄って、お父さんのワイシャツもとってきてくれない？
M：クリーニング屋ってどこだっけ。
F：さくら公園の前の本屋のとなり。
M：ああ、あそこかあ……。
F：田中君の家の手前だから、寄ってから行けばいいでしょ。
M：え、ワイシャツ持って、田中君のうちへ行くの？かっこ悪いよ。
F：ちゃんと袋に入れてくれるからだいじょうぶ。よろしく。
M：わかったー。

息子は、はじめにどこへ行きますか。

ポイント

① 「田中君の家にノートを返しに行かなきゃなんない」→田中君（友だち）の家へ行く。
② 「帰りでいいからスーパーで牛乳と卵買ってきて」→友だちの家から帰るときに、スーパーへ行く。
③ 「クリーニング屋さんに寄って」→クリーニング屋へも行く。
④ 「田中君の家の手前だから、寄ってから行けばいいでしょ」→田中君（友だち）の家へ行く前にクリーニング屋へ行くといい。
⑤ 「ワイシャツ持って、田中君のうちへ行くの？」「だいじょうぶ」「わかったー」→クリーニング屋へ行ったあと、田中君の家へ行く。→はじめにクリーニング屋へ行く。

◇「行かなきゃなんない」＝「行かなければならない」
◇「帰りでいいから」＝（今すぐではなくて、友だちの家から）帰るときでいいから
◇「クリーニング屋さんに寄って」→目的地（田中君の家）に移動する途中でそこ（クリーニング屋）へ行く。　例：「学校へ行く前にコンビニに寄って飲み物を買った」Before going to school, I stopped at a convenience store to buy a drink.　去学校前順便去便利店買了飲料。　학교에 가기 전에 편의점에 들러서 음료수를 샀다.

◇「クリーニング屋ってどこだっけ」＝クリーニング屋はどこ？
「～っけ」：確認するときの表現。親しい間柄で使う。used to confirm something; used among close friends/people　确认时使用的表现。在与亲密的人说话时使用。　확인할 때의 표현. 친한 사이에서 사용한다.

ことば

「クリーニング屋」laundry, cleaner's　洗衣店　세탁소
「寄る」stop (by)　順便去　들르다
「手前」＝その場所よりもこちらに近いところ
「ワイシャツ」men's shirt　村衫　와이셔츠
「かっこ悪い」not look nice, be uncool　（外表，形象）难看　모양새가 없다 / 볼품없다

30 ばん　正解 3

スクリプト

男の人と女の人が電話で話しています。男の人はこれからどうしますか。

M：もしもし、先日インターネットでそちらのお店のお菓子を買った者ですが……。
F：はい。ありがとうございます。
M：あのう、届いた箱の中に、お金の払い方の説明がなかったんですが、どうやってお金を払ったらいいんでしょうか。
F：あっ、支払いの用紙を、別に郵便でお送りしました。それを使って、銀行か郵便局、またはコンビニでお支払いください。10日までにお願いします。
M：10日までですね。あのう、その手紙はいつ送ってくださったんでしょうか。
F：ええと、お菓子をお送りした次の日です。
M：そうですか。じゃあ、もう一日待ってみます。
F：申し訳ありません。届かない場合はご連絡をいただけませんか。もう一度お送りいたしますので。
M：わかりました。

男の人はこれからどうしますか。

ポイント

① 「支払いの用紙を、別に郵便でお送りしました」→支払いの用紙は郵便で送られてくる。
② 「それを使って、銀行か郵便局、またはコンビニでお支払いください」→支払いの用紙を使って、銀行か郵便局かコンビニで支払う。
③ 「もう一日待ってみます」→郵便が来るのを待つ。
④ 「届かない場合はご連絡をいただけませんか」→手紙が来ないときは店に連絡する。

⚠️
◇「先日インターネットで**そちらの**お店のお菓子を買った**者**ですが……」＝私はインターネットであなたの店のお菓子を買いました
◇「銀行**か**郵便局、**または**コンビニ」＝銀行か郵便局かコンビニ

ことば

「インターネット」Internet　因特网　인터넷
「お菓子」sweets　点心，糕点　과자
「者」person　人　사람
「支払い」payment　支付　지불
「用紙」form, paper　表，格式纸　용지
「コンビニ」convenience store　便利店　편의점
「支払う」pay　支付　지불하다

ポイント理解

第1回

1ばん　正解 2

スクリプト

テレビのニュース番組で男の人と女の人が話しています。男の人はチケットをいくらで買いましたか。

M：今日午後4時ごろ、アメリカの人気歌手、ジミー・ブラウンさんが来日しました。成田空港にはジミーさんを見たいというファンが3,000人以上集まりました。ジミーさんは10日に東京ホールでコンサートを行うことになっています。

F：すごい人気ですねえ。10日のコンサートのチケット、30,000枚が、発売日に1時間で売り切れてしまったんですってね。

M：ええ、私も発売の日になんとか買ったんですが、1枚しか買えませんでした。現在、インターネットのオークションでは、発売日には1枚7,000円だったチケットが、なんと10倍以上の値段になっていることもあるそうです。

F：10倍って70,000円ですか。70,000円出しても行きたいっていう人がいるんですか。すごい人気ですねえ。

男の人はチケットをいくらで買いましたか。

ポイント

① 「私も発売の日になんとか買ったんですが、1枚しか買えませんでした」→発売日にチケットを1枚買った。

② 「発売日には1枚7,000円だったチケットが」＝チケットは発売日に7,000円だった。→男の人は発売日に7,000円で買った。

◇「なんとか買った」＝難しかったけれど、買った

ことば

「番組」program （电视，广播等）节目　방송
「チケット」ticket　票　티켓
「人気歌手」popular singer　人气歌星　인기가수
「来日する」＝日本へ来る
「ファン」fan　狂慕者，粉丝　팬
「コンサート」concert　音乐会，演唱会　콘서트
「行う」＝する
「発売日」date of sale　出发日　판매일
「売り切れる」get sold out　售完　매진되다
「発売」(start of) sale　发售　판매
「なんとか」＝難しいけれど
「現在」at present　现在　현재
「インターネット」Internet　因特网　인터넷
「オークション」auction　拍卖　옥션

「なんと」believe it or not　竟然　무려：驚きを表す言葉。
「10倍」ten times as … as　10倍　10배

2ばん　正解 2

スクリプト

大学生が話しています。この学生はどんな会社で働きたいと言っていますか。

F：私は今、自分の就職問題で悩んでいるんです。会社の選び方について両親と意見が合わなくて……。両親は、有名な一流会社か、今は一流でなくても将来大きくなりそうな会社に入るのがいいと言っています。でも、私が重要だと思うのは、その会社でどんな仕事ができるかということです。会社が有名だとか、将来に希望があるとか、そういうことはあまり重要だと思わないんです。大きな会社でなくてもいいんです。大きな会社に入っても、自分の能力に合った仕事をやらせてもらえるかどうかわかりません。だれがやっても同じだというような仕事じゃ、やる気が出ませんからね。

この学生はどんな会社で働きたいと言っていますか。

ポイント

①「私が重要だと思うのは、その会社でどんな仕事ができるかということです」→仕事の内容で会社を選びたい。 I want to choose a company by the kind of work I will do. 想根据工作内容来选择公司。 일 내용을 보고 회사를 선택하고 싶다.

②「大きな会社に入っても、自分の能力に合った仕事をやらせてもらえるかどうかわかりません」＝大きな会社に入っても、自分の力に合った仕事ができないかもしれない。 Even if I enter a large corporation, I may not be able to do what I am most suited to do. 即使进了大公司，也有可能不能做适合自己能力的工作。 큰 회사에 들어가도, 자신의 실력에 맞는 일을 하지 못할 수도 있다.

③「だれがやっても同じだというような仕事じゃ、やる気が出ませんからね」＝自分の力が必要とされるような仕事でなければ、一生懸命に働く気持ちになれない。 I don't feel encouraged to work hard unless the work is something that needs my own ability. 如果不能做适合自己能力的工作的话，就没有拼命工作的劲头。 자신의 실력을 필요로 하지 않는 일에는, 열심히 일할 기분이 나지 않는다.

→自分の力に合った仕事がしたい。

ことば

「就職」employment　就职，就业　취직
「悩む」suffer, be troubled　烦恼　고민하다
「意見が合う」agree with somebody　意见一致　의견이 일치하다
「一流」first-class　一流　일류
「重要(な)」important　重要(的)　중요(한)

「希望(きぼう)」 hope 希望 희망
「能力(のうりょく)」 ability 能力 능력
「やる気(き)」 (strong) will, motivation 干劲 하고자 하는 마음

3ばん　正解1
スクリプト
男の人と女の人が会社で話しています。男の人はどんな失敗をしましたか。

F：どうしたの。ちょっと元気ないみたい。
M：仕事でちょっと失敗しちゃって……。
F：え、どんな失敗？
M：お客さんに送る請求書の金額をまちがえちゃってね。「そのまま送ったら大変なことになるところだった」って、部長にきつく言われたよ。
F：あら〜。……まあ、ミスはだれにでもあるわよ。でも、よく確認しないとね。
M：うん、「同じまちがいは二度としないように注意しろ」って言われちゃった。
F：そう。でもまあ、元気出して。

男の人はどんな失敗をしましたか。

ポイント
①「お客さんに送る請求書の金額をまちがえちゃってね」→請求書に正しくない金額を書いた。 I have put down a wrong amount of money on the bill. 在账单上写了不正确的金额。 청구서에 틀린 금액을 적었다.

②「そのまま送ったら大変なことになるところだった」＝もし、請求書の金額を直さないで、それをお客さんに送ったら、きっと大きな問題になっただろう。→実際は送らなかった。送る前に正しく直した。 If I had sent the bill to the customer without correcting the amount, we would have been in big trouble. → I did not send it actually, but corrected the amount before sending it. 如果没有改正账单上的金额就把它寄给了客户，一定会发生重大问题。→际上没有寄，在寄送前改正了。 만약 청구서 금액을 고치지 않고, 손님께 보냈다면, 분명 큰 문제가 되었겠지. →실 실제로는 보내지 않았다. 보내기 전에 바르게 고쳤다.

◇「部長にきつく言われた」＝部長にしかられた

ことば
「お客(きゃく)さん」＝顧客(こきゃく) customer, client 客户，顾客 고객
「請求書(せいきゅうしょ)」 bill, invoice 账单 청구서
「金額(きんがく)」 amount of money 金额 금액
「部長(ぶちょう)」 department head 部长 부장
「きつく」＝強く
「ミス」 error, mistake 错误 실수
「確認(かくにん)する」 confirm 确认 확인하다
「二度(にど)としない」＝これからは、もう絶対にしない

4ばん　正解4
スクリプト
男の人と女の人が話しています。男の人はどうして運動を始めましたか。

M：あ、ゆみちゃん、久しぶりだね。
F：佐藤君、ジョギング中？　最近よく走ってるの？前は運動、あんまり好きじゃなかったよね。
M：好きだから走ってるわけじゃないんだ。それに今は仕事が忙しくて、走る時間もあんまりないし……。
F：え、そうなの？
M：うん。あのさ、最近、服が合わなくなっちゃってねえ。
F：ああ、それで？　そうよね。健康のためにも太らないほうがいいね。

男の人はどうして運動を始めましたか。

ポイント
①「服が合わなくなっちゃってねえ」＝服のサイズが合わなくなってしまった。→太ったか、やせたか、体形が変わった。 My body size has changed because of my weight increase/decrease. 胖了吗？瘦了吗？体型变了。 살이 쪘는지, 빠졌는지, 체형이 변했다.

②「そうよね。健康のためにも太らないほうがいいね」→男の人を見て、女の人は「太らないほうがいい」と言っている。→男の人は太った。

◇「好きだから走ってるわけじゃないんだ」＝走っているのは、走るのが好きだからではない。→ほかの理由がある。 I am not running because I like running. → There's another reason. 在跑步，但是并不是因为喜欢跑步。→有别的理由。 달리고 있는 것은, 달리는 것을 좋아하기 때문이 아니다. →다른 이유가 있다.

ことば
「久(ひさ)しぶり」 have not done ... for a long time 很久，许久 오래간만
「ジョギング」 jogging 跑步 조깅

5ばん　正解3
スクリプト
会社で男の人と女の人が話しています。女の人は上司のどんなところがいやだと言っていますか。

F：ああ、疲れた。
M：また、課長に何か言われたの。
F：うん。あのね、今度の会議の連絡のしかたがまずいとか、会議の進め方を変えろとか。先週は、「適当にやってくれ」って言ったのに。いつもこうなの。あとからあれこれ文句を言うのよ。
M：それはいやだね。
F：もう、会議は明日よ。資料だって全部プリントしたのよ。それなのに、資料のデータを変えろだって。

M：今から？
F：そう。でも、やるしかないわよ。いやだなあ、どうしてもっと早くチェックしないのかしら。自分で会議の準備をやってみればいい。どんなに大変か、わかるわよ。

女の人は上司のどんなところがいやだと言っていますか。

ポイント

①「あとからあれこれ文句を言うのよ」→すぐ言わないで、あとでいろいろ文句を言う。
②「どうしてもっと早くチェックしないのかしら」→もっと早くチェックして、早く指示を出せばいいのに、そうしないであとで指示を出す。それがよくない。
He should have checked it sooner and instructed me to do so sooner, but instead of doing so he tells me to do so later, which is not good.　如果能更早检查，更早地发出指示就好了。没有这样做而是很晚才发出指示，这样不好。　더 빨리 체크해서, 빨리 지시하면 좋았을텐데, 그렇게 하지 않고 나중에 지시를 하다. 그것은 옳지 않다.

ことば

「上司」one's boss　上司　상사
「課長」section chief　科长　과장
「あのね」：説明を始めるときや、親しい相手に対して話し始めるときに使う言葉。　used before starting an explanation or before talking to one's close person　在开始说明时或和关系亲密的人开始对话时使用的词语。　설명을 시작할때나, 친한 상대에게 얘기를 꺼낼때 사용하는 말。
「まずい」＝よくない
「適当に」in what you think fit　适当地　적당히
「あれこれ」＝いろいろ
「文句」complaint　牢骚　불평
「資料」material, data　资料　자료
「プリントする」print, copy　印刷　프린트하다
「データ」data　数据　데이터
「やるしかない」＝やらなければならない
「チェックする」check　检查　체크하다

6ばん　正解 1

スクリプト

レストランで男の人と女の人が話をしています。女の人がこの料理を食べないのはどうしてですか。

M：あれ？　それ食べないの？
F：うん。ちょっと苦手なんだ。
M：ふ〜ん。おいしいのに、どうして。
F：料理の味つけは悪くないけど、中にこれが入ってるでしょう(↘)。私、これ、だめなの。
M：それ？　ほんのちょっとしか入ってないじゃない。
F：でも、このにおいが……。
M：そうかあ？　いいにおいじゃないか。それにピリッと辛い、この辛さがいいんだよ。
F：そう。じゃあ、これ、全部食べていいよ。
M：おっ、サンキュー。

女の人がこの料理を食べないのはどうしてですか。

ポイント

「中にこれが入ってるでしょう。私、これ、だめなの」
→料理の中に、きらいなものが入っている。

⚠️

◇「ちょっと苦手なんだ」＝好きじゃないんだ／きらいなんだ
◇「このにおいが……」＝このにおいが いやだ／きらいだ

ことば

「苦手(な)」do not like, be not skillful　难对付, 不善于　서투르, 잘 못하는, 좋아하지 않는, 질색하는
「味つけ」seasoning　调味道　간, 맛
「ほんのちょっと」just a little bit　真的一点点　아주 조금
「ピリッと辛い」hot and spicy　辣辣的　톡 쏘듯 맵다
「辛さ」hotness, spiciness　辣的程度　매운맛
「サンキュー」＝ありがとう

第2回

7ばん　正解 1

スクリプト

テレビ番組で男の人と女の人が話しています。男の人は今年の夏はどんな天気になると言っていますか。

F：夏が近づいてきましたが、今年の夏はどんな夏になるでしょうか。
M：そうですね。気温はだいたい去年と同じくらいでしょう。ただ、暑い日が去年よりも長く続きそうです。
F：そうですか。去年はとても暑かったですね。あの暑さがもっと続くということは、きびしい夏になりそうですね。
M：そうですね。
F：去年は、夕方、急に雨が降ってきてびっくりすることが多かったのですが。
M：ええ、そうでした。今年も夕立は多いでしょう。
F：じゃあ、外出するときは、かさが必要ですね。
M：ええ。雷にも注意しないといけません。

男の人は今年の夏はどんな天気になると言っていますか。

ポイント

①「暑い日が去年よりも長く続きそうです」＝暑い日が去年より多い。
②「夕立は多いでしょう」＝夕方急に雨が降ることが多い。→雨が多い。

ことば

「気温」(atmospheric) temperature　气温　기온

「夕立（ゆうだち）」(evening) shower　（傍晚的）阵雨　소나기
「外出（がいしゅつ）する」go out　外出　외출하다
「雷（かみなり）」thunder　雷　천둥

8ばん　正解2
スクリプト
男の学生と女の学生が話をしています。男の学生が大学をやめたのはどうしてですか。

F：ねえ、田中君。大学やめたって、本当？
M：うん、そうなんだ。
F：どうして？　一生懸命に勉強してたのに……。お金の問題？
M：いや。
F：じゃあ、成績のこと？
M：そういうことじゃない。まあ、成績はあんまりよくないけど。……あのね、おじさんが仕事を紹介してくれて。
F：仕事？
M：そう。おじさんの知り合いの会社で人を探しているから、「おまえ、どうだ」って言われて。それで、その会社に行って話を聞いたら、仕事もおもしろそうだし、社長も「ぜひ来ないか」って言うから、決めちゃったんだ。
F：へえ。そう。でも勉強やめるの、残念じゃない？
M：勉強は、社会に出てからもできると思うんだ。
F：ふうん、そうか。

男の学生が大学をやめたのはどうしてですか。

ポイント
①「おじさんが仕事を紹介してくれて」「おじさんの知り合いの会社で人を探しているから、『おまえどうだ』って言われて」→おじさんが知っている人の会社で社員を募集していた。おじさんがその会社を紹介してくれた。A company where my uncle's acquaintance works was recruiting employees, and he introduced me to this company.　叔叔相识的人的公司在招募职员。叔叔帮我介绍了那个公司　삼촌이 아는 분 회사에서 사원을 모집하고 있다. 삼촌이 그 회사를 소개해 주셨다.
②「決めちゃったんだ」I've decided (to take the job).　已经决定了。　결정해 버렸어. →その会社に入ることを決めた。

⚠
◇「おまえ、どうだ」＝この会社に入らないか。
◇「ぜひ来ないか」＝来ませんか。／来てください。
◇「社会に出てから」＝学校を出て働き始めてから

ことば
「成績（せいせき）」grade　成绩　성적
「あのね」：説明を始めるときや、親しい相手に対して話し始めるときに使う言葉。used when starting an explanation or beginning to talk to one's close person　开始说明或和关系亲密的人开始说话时用的词语。　설명을 시작할때나, 친한 상대에게 얘기를 꺼낼 때 사용하는 말．
「仕事（しごと）を紹介（しょうかい）する」introduce a job　介绍工作　일을 소개하다
「知（し）り合（あ）い」acquaintance　相识的人　아는 사람
「（会社）人（ひと）を探（さが）す」recruit　找人　사람을 찾다
「おまえ」＝あなた／君：同等または目下の相手に使う。used when talking to one's equal or inferior/subordinate　和同等级或下级说话时使用。　동등한 상대나 아랫사람에게 사용한다．
「ぜひ」by all means　一定，务必　꼭，부디

9ばん　正解3
スクリプト
デパートで女の人が店員と話しています。女の人はどうして怒っていますか。

M（店員）：いらっしゃいませ。
F（客）：あのう、これ、昨日こちらで買ったシャツなんですけど、ここが破れているんです。取り替えてもらえませんか。
M：あ、申し訳ありません。少々お待ちください。
………
M：お客様、お待たせいたしました。申し訳ございませんが、同じ色のものが売り切れてしまいまして……。別の色のものでもよろしいでしょうか。
F：ええっ、この色が気に入って買ったのに……。じゃあ、しかたがない。買うのやめます。お金、返していただけますよね。
M：あのう、それは……。申し訳ございませんが、こちらはセール品ですので、お返しできないんです。
F：えっ？　だめなの？　破れてるのに？
M：はい。大変申し訳ございません。あの、ほかの商品に取り替えることはできますが。
F：ええーっ。それはないでしょう（↗）。

女の人はどうして怒っていますか。

ポイント
①「この色が気に入って買ったのに……」→別の色のシャツはいらない。
②「お金、返していただけますよね」→お金を返してほしい。
③「こちらはセール品ですので、お返しできないんです」＝このシャツはセール品（値下げ品）だから、お金を返すことはできません。Because this shirt is a discounted item, we cannot give you a refund.　这衬衫是减价品（廉售品），所以不能退钱。　이 셔츠는 세일품목（가격인하품）이므로, 환불이 불가능합니다．
④「だめなの？　破れてるのに？」＝シャツが破れているのに、お金を返してくれないんですか。

⑤「それはないでしょう」＝それはひどい。

ことば
「いらっしゃいませ」 Welcome. 欢迎光临　어서오세요
「破れる」 get torn　破损　찢어지다, 터지다
「申し訳ありません」＝すみません／ごめんなさい
「少々」＝少し
「しかたがない」 it cannot be helped, there's no choice　没办法　어쩔 수 없다
「セール品」 merchandise on sale　减价品　세일품
（「セール」 sale　大减价　세일）
「商品」 merchandise　商品　상품

10 ばん　　正解 3

スクリプト
女の人が自分の会社のことについて男の人と話しています。女の人がよくないと思っていることは何ですか。

M：何だか疲れているみたいだね。仕事、忙しいの？
F：うん、最近忙しいのよ。でも、好きな仕事をやらせてもらっているから、文句は言えないんだ。
M：そうか。休みはちゃんと取れるの？
F：うん、取れる。残業代もちゃんと払ってくれるよ。
M：じゃ、いいじゃない。
F：でもね、通勤がねえ……。女子の寮、古くなったから引っ越したのよ。男子社員の寮は会社のそばだからいいんだけど、女子寮はねえ……。
M：通勤に時間がかかるんだ。
F：そう、それがちょっと……。

女の人がよくないと思っていることは何ですか。

ポイント
①「通勤がねえ……」「男子社員の寮は会社のそばだからいいんだけど、女子寮はねえ……」＝男子社員の寮は会社のそばだから通勤は楽だが、女子社員の寮はそうではない。The male employees' dormitory is close to the company, so commuting to work is easy, but the women's dorm isn't. 男职员的宿舍就在公司的旁边，上下班很方便，女职员的宿舍并不是那样。남자사원의 기숙사는 회사 옆에 있어서 통근이 편하지만, 여자사원의 기숙사는 그렇지 않다.
②「通勤に時間がかかるんだ」「そう、それがちょっと……」＝通勤に時間がかかる。それが困る。→女子社員の寮は遠い。

⚠️
◇「時間がかかるんだ」＝「時間がかかるのですね」：「時間がかかる」ことを確認する。

ことば
「文句」 complaint　牢骚　불평
「残業」 overtime work　加班　잔업
「〜代」＝〜に対して支払う金

「通勤」 commuting to work　上下班　통근
「寮」 dormitory　宿舍　기숙사

11 ばん　　正解 4

スクリプト
男の人と女の人が話しています。女の人は、この服の何が自分に合わないと言っていますか。

F：ねえ、このワンピース、私には似合わないみたい。
M：そうかな？　色が明るくてきれいだよ。
F：色じゃなくて……。ちょっと太って見えない？
M：うーん、確かに、ちょっと。デザインのせいかな。
F：やっぱりそうか。
M：小さすぎるってことはないよね。
F：うん。お店の人がちょうどいいサイズを選んでくれたから。この柄はかわいいから好きなんだけど。うーん、ちょっと残念。

女の人は、この服の何が自分に合わないと言っていますか。

ポイント
①「ちょっと太って見えない？」「うーん、確かに、ちょっと」＝確かにちょっと太って見える。
②「デザインのせいかな」「やっぱりそうか」＝思った通り、デザインのせいで太って見えるのだ。It makes me look fat because of its design, just as I thought. 就如我想的那样，因为设计式样，看上去胖。생각한대로, 디자인 때문에 살쪄보인다. →デザインが自分に合わない。

⚠️
◇「やっぱりそうか」＝はじめに思った通り、そうだ。it is so just as I thought　果然是这样　역시 그렇구나

ことば
「ワンピース」 dress　连衣裙　원피스
「似合う」 look good on a person　合适　어울리다
「太って見える」 make a person look fat　看上去胖　살쪄보인다
「デザイン」 design　设计　디자인
「ちょうどいい」 just the right size　正好　딱 알맞다, 딱 맞다
「サイズ」 size　大小, 尺寸　사이즈
「柄」 pattern　花样　모양, 무늬

12 ばん　　正解 1

スクリプト
会社で男の人と女の人が話しています。二人は、上司にはどんな人がいいと言っていますか。

F：あ、北山さん、ご存じですか。中村課長がやめられるって……。
M（北山）：ええ、さっき聞きました。残念だなあ。課長にはずっとお世話になっていたから……。
F：私も残念です。きびしい方だから、私、よくしから

れました。でも、いろいろ親切に教えてくださって。
M：ぼくなんて何回怒られたかわかりませんよ。
F：でも、いい勉強になりましたね。部下が失敗したときも、どうして失敗したのかとか、失敗したらどうすればいいのかとかをきちんと教えてくださいましたね。
M：そう、ただ怒るだけじゃなかった。
F：ほかの課の課長みたいに、仕事のあとで、みんなを飲みに連れていってくれたり、出張のときにおみやげを買ってきてくれたり、そういうやさしい人が上司だったらいいなあって思うこともあったけど。
M：でも、会社ではいい仕事をすることが一番ですからね。上司は中村課長のような人がいいなあ。

上司にはどんな人がいいと言っていますか。

ポイント

①「いろいろ親切に教えてくださって」「部下が失敗したときも、どうして失敗したのかとか、失敗したらどうすればいいのかとかをきちんと教えてくださいましたね」＝中村課長は部下を親切に教えた。部下が失敗したときも、その失敗の原因や対処の方法をていねいに教えた。 The section manager kindly instructed his subordinates. When his subordinate made a mistake, he also explained in details the cause of the mistake or how it was to be dealt with. 科长亲切地教导部下。即使部下失败了，他也认真地部下失败的原因和处理方法。 과장은 부하에게 친절히 가르쳤다. 부하가 실패했을 때도, 그 실패의 원인과 대처방법을 정성껏 가르쳤다.

②「上司は中村課長のような人がいいなあ」＝上司は、中村課長のように親切にきちんと指導してくれる人がいい。 I want to have a boss who can instruct us kindly and properly just like Section Manager Nakamura. 上司，是像中村科长那样亲切而好好地指导部下的人就好了。 상사는, 나까무라 과장처럼 친절하고 정확하게 지도해 주는 사람이 좋다.

◇「いい勉強になりました」＝いろいろなことを学びました。
◇「会社ではいい仕事をすることが一番ですからね」＝仕事のあとで飲みに連れていってくれたり、出張のときにおみやげを買ってきてくれたりする、そういう上司もいいけれど、それは仕事以外のことだ。会社は仕事をするところだから、いい仕事をすることがいちばん重要だ。 It's true such a boss as takes you for a drink after work or brings back souvenirs when coming back from his business trips is nice, but it's irrelevant to work. Because a company is where you're supposed to work, to do jobs well is the most important. 工作结束后带着去喝酒、出差时买回礼物，这样的上司固然好，但那是工作之外的事。公司是工作的地方，做好工作是最重要的。 일한 뒤 술자리에 데리고 가 주거나, 출장 다녀

올 때 선물을 사다주는 상사도 좋지만, 그것은 일의 내용과는 상관없다. 회사는 일하는 곳이니, 좋은 일을 하는 것이 가장 중요하다.

ことば

「上司」 one's boss　上司　상사
「ご存じですか」＝知っていますか〈尊敬表現 honorific 尊敬表現 존경표현〉
「課長」 section manager　科长　과장
「お世話になる」 receive kindness/favor/help　得到关照　신세지다
「部下」 one's subordinate　部下　부하
「きちんと」 in an appropriate manner, properly　好好地　정확히
「課」 section, division, department　科　과
「飲みに連れていく」 take someone for a drink　带着去喝酒　술자리에 데리고 가다
「出張」 business trip　出差　출장
「おみやげ」 souvenir　礼物，土特产　선물

第3回

13 ばん　正解 1

スクリプト

男の人と女の人が話しています。女の人は何で行きますか。

F：夏休みに大阪へ行きたいんだけど、新幹線と飛行機、どっちが安いかな。
M：新幹線だと 13,000 円ぐらいだよ。
F：往復で 26,000 円？　高い！
M：飛行機は、ときどきすごく安いチケットもあるらしいね。でも夏休み中はたぶんないと思うよ。
F：そう、残念。
M：とにかく安いほうがいいっていうんなら、バスじゃないか？　去年、おれ、大阪まで行ったけど、5,000 円ぐらいだったよ。
F：バスねえ。バスは苦手。長い時間だとつらいんだ。……あ、船は？　私、船には強いから、安ければ、時間がかかってもいい。
M：船？　大阪まで船で行くって、聞いたことないなあ。
F：そう……。どうしようかなあ。……お金もないし、少しがまんしようか。
M：やっぱり安いのが一番だよね。
F：うん。

女の人は何で行きますか。

ポイント

①「バスねえ。バスは苦手。長い時間だとつらいんだ」＝バスに長い時間乗るのはつらいから、バスには乗りたくない。

②「お金もないし、少しがまんしようか」＝お金がないから、安いほうがいい。バスはつらいけれど安いから、つらいのをがまんしてバスで行こう。 The cheaper one is better because I don't have much money. Though the bus is difficult for me, it's cheaper, so I will endure the pain and go by bus.　因为没有钱，便宜的好。（坐）巴士虽然辛苦，但便宜，忍耐一下辛苦坐巴士吧。　돈이 없으므로，저렴한 편이 낫다．버스는 불편하지만 저렴하므로，불편함을 참고 버스로 가자．

③「やっぱり安いのが一番だよね」「うん」＝安いことはいちばんいいことだ。→バスがいい。

◇「バスは苦手」＝バスはきらいだ
◇「船には強い」＝船に乗るのは、だいじょうぶだ

ことば
「新幹線」bullet train　新干线　신칸센
「往復」both ways, going to and from　来回　왕복
「チケット」＝切符
「おれ」＝ぼく
「苦手(な)」not favorite, do not like　不善于(的)　질색함，서투름，좋아하지 않음
「つらい」painful, strenuous　辛苦，难受　괴롭다
「がまんする」endure　忍耐　참다

14 ばん　正解 2

スクリプト
男の人と女の人が話しています。男の人は休みの日の過ごし方についてどう考えていますか。

F：明日は休み。うれしいな。
M：どこか遊びに行く予定でもあるの？
F：うん、予定はねえ……、寝坊をすること。
M：寝坊？
F：うん、寝たいだけ寝る。ゆっくりお昼ごろまで。
M：昼まで？　それはもったいないなあ。
F：え？　どうして。
M：だって、昼まで寝てたら、午前中がなくなっちゃうよ。せっかくの休みなのに、もったいないじゃない。
F：え、どうして？　ゆっくり寝られるのは休みの日だけなんだから、寝なくちゃ。
M：そうかな。朝早く起きて、いろんなことをして、夜早く寝ればいいじゃない。明るい時間に活動しないなんて時間がもったいないよ。
F：ふうん、寝坊は時間の無駄っていうことね。じゃ、あなたは？　早起きしてるの？
M：うん、休みの日は5時ごろ起きるよ。
F：5時に？
M：そうだよ。ぼくは君より、7時間ぐらいも長く休みの日が楽しめてるんだ。君もたまには早起きしたら？
F：えー？

男の人は休みの日の過ごし方についてどう考えていますか。

ポイント
①「昼まで寝てたら、午前中がなくなっちゃうよ。せっかくの休みなのに、もったいないじゃない」＝昼まで寝ていたら、午前中は何もできない。大切な休みの日なのに、午前中の時間が無駄になってしまう。You can't do anything in the morning if you sleep till noon. The morning hours will be wasteful on your precious day off.　如果睡到中午的话，上午什么也不能做。好不容易的休息天，上午的时间浪费了。　점심때까지 자면，오전중에는 아무것도 할 수 없다．소중한 휴일인데，오전시간을 낭비하게 된다．

②「明るい時間に活動しないなんて時間がもったいないよ」＝明るい時間に寝るのは時間の無駄遣いだ。It's waste of time to sleep during day time.　在天亮着的时候睡觉是浪费时间。　날이 밝은 시간에 잠을 자는 것은 시간을 낭비하는 것이다．

③「寝坊は時間の無駄っていうことね」＝（あなたの考えでは）寝坊をすると休みの日の大切な時間の価値が生かされないということですね。(In your opinion) the value of my precious time of my day off will be lost if I sleep in, correct?　（你的想法是）睡懒觉使休息天的宝贵时间的价值无法得到利用。（당신의 생각으로는）늦잠을 자면 휴일의 소중한 시간의 가치를 살릴 수 없다는 말이죠．→女の人は、男の人が休みの日の大切な時間を無駄にしたくないと考えていることがわかった。

◇「寝たいだけ寝る」＝十分に寝る
◇「もったいないじゃない」＝本当にもったいない〈強調表現〉
◇「寝坊は時間の無駄っていうことね」：男の人が言ったことを、言い換えて自分で確認している。She is rephrasing what the man said to her to make sure.　把男士说的话的表现转换一下以便自己确认。　남자의 말을 다른 표현으로 바꿔 말하면서 스스로 확인하고 있다．

ことば
「過ごし方」how to spend (one's time)　生活方式，过日子的方式　지내는 법＝どのように過ごすか／何をするか
「寝坊」＝朝遅くまで寝ていること／いつもより遅く起きること　oversleeping　睡懒觉　늦잠
「せっかくの〜」precious, valuable　好不容易的　모처럼의
「もったいない」wasteful　可惜　아깝다
「無駄(な)」waste(ful)　没用(的)　보람없음，헛됨

15 ばん　正解 3

スクリプト
銀行で男の人と係の人が話しています。係の人は、どうしてお金が出てこないと考えていますか。

M：すみません。お金が出てこないんですけど……。
F（係の人）：ああ、故障かもしれませんね。となりの

機械をお使いください。
M：となりでもやってみましたが、だめでした。
F：暗証番号のまちがいではありませんか。
M：いえ、「番号が正しくない」というメッセージは出ませんでした。
F：ちょっと、カードを見せていただけますか。
M：はい。
F：……ああ、これかもしれません。ここに小さい傷がありますね。
M：あ、ほんとだ。えー、ぜんぜん気がつかなかった。
F：あちらの窓口でお調べしますから、しばらくお待ちください。
M：え？ 困ったな。急いでるんですけど。
F：申し訳ありませんが、ちょっと調べてみませんと。
M：あのう、時間がないので……。

係の人は、どうしてお金が出てこないと考えていますか。

ポイント

「ちょっと、カードを見せていただけますか」「ああ、これかもしれません。ここに小さい傷がありますね」＝カードに傷がある。この傷が原因かもしれない。 There's a scratch on the card. This scratch may be the cause. 卡上有损坏的地方，这个损坏的地方可能是原因。 카드에 흠이 있다. 이 흠이 원인일지도 모른다.

ことば

「係の人」person in charge 主管人员，担任者 담당자，관계자
「暗証番号」password 密码 비밀번호
「メッセージ」message 短信 메시지
「傷」scratch, scar 伤痕，损坏 흠
「気がつく」notice 注意到 생각나다，주의가 미치다
「窓口」window 窗口 창구

16 ばん　正解 1

スクリプト

男の人と女の人が宝くじについて話しています。男の人が宝くじを買わないのはどうしてですか。

F：宝くじ、今度は当たるかな。当たるといいな。
M：え？ 買ったの？ 宝くじ。へえ〜、ぼくは買わない。
F：買わなければ、当たらないよ。
M：そうだね。で、いくら使ったの？
F：1万円。
M：そんなに？
F：いいでしょ。もし当たったら何を買おうかって考えるだけでも楽しいから。
M：でも、1万円あればいろんな物が買えるよ。食事に何回も行けるし。
F：当たれば、もっとすごいことができるよ。ハワイに別荘も買える。
M：だけど、もし100万円当たっても、それは、ただ運がよくてもらったお金だろ？ だから、あんまりありがたい感じがしないなあ。
F：ええ？ 100万円当たったらありがたいよー。
M：ぼくは、自分で働いてお金をもらうほうがうれしいな。ほんとにありがたいお金だって感じがするから。
F：ふうん。そうか。

男の人が宝くじを買わないのはどうしてですか。

ポイント

① 「もし100万円当たっても、それは、ただ運がよくてもらったお金だろ？ だから、あんまりありがたい感じがしないなあ」＝宝くじが当たって100万円もらっても、あまり「ありがたい」と感じない。なぜなら、お金は運がよくてもらったというだけだから。 Even if I won a lottery for a million yen, I wouldn't feel so "grateful" because I only got the money out of good luck. 即使中奖得到100万日元，也不太会觉得"感激"，为什么？因为这钱是由（自己的）好运而来的。 복권에 당첨되어 100만엔을 받아도, 그다지 감사하다는 느낌이 들지 않는다. 왜냐하면, 돈은 운이 좋아 받았을 뿐이라고 생각하기 때문이다.

② 「自分で働いてお金をもらうほうがうれしいな。ほんとにありがたいお金だって感じがするから」＝ただ運がよくてもらったお金よりも、自分で働いてもらうお金のほうが「ありがたい」と感じるから、うれしい。 I would feel happier with the money that I earn on my own through work than the money that I receive only from good luck. 比起单纯的好运得来的钱，对自己劳动得来的钱会觉得"感激"，这是值得高兴的。 그냥 운이 좋아 받은 돈보다도, 자신이 일해서 받은 돈이 감사하다는 느낌이 들어, 기쁘다.

ことば

「宝くじ」lottery (ticket) 彩票 복권
「(宝くじが)当たる」win (a lottery) 中(彩票) (복권이) 당첨되다
「ハワイ」Hawaii 夏威夷 하와이
「別荘」villa, second house 別墅 별장
「運がいい」lucky 好运 운이 좋다
「あんまり」＝あまり
「ありがたい」thankful, grateful 感激，感谢 감사하다

17 ばん　正解 2

スクリプト

女の人が話しています。女の人がやせるために今やっていることは何ですか。

F：先月病院に行ったら、「ちょっと太りすぎだから、体重を減らすように」って先生に言われたんです。毎日運動すればいいって、わかってるんですけど、その時間もないし……。それで、いろいろ方法を

考えたんですが、夜10時よりあとには何も食べないことにしました。いちばん初めは、毎朝早く家を出て、となりの駅まで歩いて行ってたんです。だけど、疲れちゃって、会社に着いてから仕事にならないんで、3日でやめました。それと、油っこいものをあまり食べないほうがいいことも、もちろんわかっていますけど、でもだめですねえ。やっぱり食べちゃうんです。それで、結局、寝る前に食べる習慣をやめたんです。これだけは、今も続けています。

女の人がやせるために今やっていることは何ですか。

ポイント

①「いろいろ方法を考えたんですが、夜10時よりあとには何も食べないことにしました」＝体重を減らす方法をいろいろ考えたが、夜遅い時間には何も食べないことに決めた。 I have thought about different ways to lose weight, and have decided not to eat anything late at night. 考虑了各种减轻体重的方法，选择了晚上十点以后什么也不吃。체중을 줄이는 방법을 여러가지 생각해 보았지만, 밤늦은 시간에는 아무것도 먹지 않기로 결정했다.

②「結局、寝る前に食べる習慣をやめたんです。これだけは、今も続けています」＝（となりの駅まで歩くこと、油っこいものを食べないことなどの方法でやせる努力をしたけれど、うまくいかなかった。）結局、やめないで続けていることは、寝る前、夜遅い時間に食べないことだけだ。 (I have tried hard to lose weight by walking to the next station or not eating oily foods, etc., but they didn't work for me.) After all, the only thing that I am sticking to do is not to eat late at night before going to bed. （步行到邻近车站，不吃油腻的东西等做了很多努力，没有好的效果。）最后不放弃地继续实行的是睡前和夜晚不吃东西。（옆 역까지 걷거나, 기름진 음식을 먹지 않는 방법등으로 살빼는 노력을 했지만, 성공하지 못했다）결국 포기하지 않고 계속하고 있는 것은, 잠자기 전, 밤늦은 시간에 먹지 않는 것만은 계속하고 있다.

◇「やっぱり食べちゃうんです」＝（食べないほうがいいとわかっているのに、）でも食べてしまうんです。

ことば

「体重」 (body) weight　体重　체중
「減らす」 decrease　减少　줄이다
「方法」 method　方法　방법
「仕事にならない」＝仕事ができない
「油っこい」 oily　油腻　기름지다
「結局」 after all　结果，最后　결국

18 ばん　正解 4

スクリプト

男の学生と女の学生が話しています。女の人の問題はどんなことですか。

F：あーあ。どうしようかなあ。
M：え？　何があったの？
F：あのね、会計学の成績がねえ、Bだったの。
M：Bならいいじゃないか。今回の試験、難しかったから。
F：Bじゃだめなのよ。
M：あ、奨学金もらうんだったら、全部Aじゃないとだめなんだよね。
F：奨学金は関係ない。
M：じゃ、何が問題なの？
F：試験の前は、成績がAだったら専門は会計学にするつもりだったんだ。でもねえ、Bだったから……。
M：君さあ、専門を決めるときは、成績よりも、自分が本当にやりたいかどうかってことのほうが大事だよ。
F：もちろんやりたいことなんだけど、やりたいと思ってもできないことだってあるし……。

女の人の問題はどんなことですか。

ポイント

「何が問題なの？」「試験の前は、成績がAだったら専門は会計学にするつもりだったんだ。でもねえ、Bだったから……」＝成績がAなら会計学を専門にしようと考えていたが、成績がBだったので、その考えを変えなければならない。それが問題だ。 I was planning to major in accounting if my grade was an A, but because I actually got a B, I need to change my plan. That's the problem. 如果成绩是A，想选择专攻会计学。但是因为成绩是B，不得不改变原来的想法。这就成了问题。 성적이 A이면 회계학을 전공으로 하려 했으나, 성적이 B여서 그 생각을 바꾸지 않으면 안된다. 그것이 문제다. →専門がまだ決められない。

ことば

「あのね」：説明を始めるときや、親しい相手に対して話し始めるときに使う言葉。 used before beginning an explanation or starting a conversation with a close person　在开始说明或和很亲密的人说话时用的词语。　설명을 시작하거나, 친한 상대에게 얘기를 시작할 때 사용하는 말.
「会計学」 accounting　会计学　회계학
「成績」 grade　成绩　성적
「奨学金」 scholarship　奖学金　장학금

第4回

19 ばん　正解 1

スクリプト

会社で男の人と女の人が話しています。今週のミーティングでは何をしますか。

M：山田君、今週のミーティング、あさってだね？

F：はい。木曜日の午後2時からです。

M：ええっと、「この1週間の報告」は、いつもの通りにやって、そのあとで何か話し合いたいことある？先週話し合ったのは、「来月の目標」についてだったね。

F：そうですね……。あの、前から問題になっていましたよね。「職場の無駄をなくすこと」。これ、どうでしょう。

M：「無駄をなくすこと」か。ちょっとテーマが大きすぎるな。もう少し絞らないと。

F：そうですか。じゃ、「節約の方法」はどうでしょう。節約のためのアイデアを出してもらったら？

M：よし。じゃあ、みんなにアイデアを考えてきてもらおう。あ、そうだ、残業を減らす方法、これも前から問題になっていたよね。どうしたら仕事の能率を上げて、残業しないで早く帰れるか。これについても考えてもらおうか。

F：え？両方はちょっと、時間が……。

M：ああ、そうか。じゃあ、「残業を減らす方法」は次に回そう。

F：はい。

今週のミーティングでは何をしますか。

ポイント

①「先週話し合ったのは、『来月の目標』についてだったね」→先週「来月の目標」について話し合った。

②「『節約の方法』はどうでしょう。節約のためのアイデアを出してもらったら？」「よし。じゃあ、みんなにアイデアを考えてきてもらおう」→「節約の方法」について話し合う。

③「残業を減らす方法…これについても考えてもらおうか」「両方はちょっと、時間が……」→「節約の方法」と「残業を減らす方法」の両方を話し合うと、時間が足りなくなる。

④「『残業を減らす方法』は次に回そう」→「仕事の能率を上げて残業を減らす方法」は、次の回に話し合う。　We will talk about "how we can work more efficiently and decrease overtime work" next time.　提高工作效率，减少加班的方法，将在下次探讨。　일의 능률을 높혀 잔업을 줄이는 방법은, 다음회에 논의하다．

→今回は、話し合わない。We won't talk about it this time. 这次不讨论。이번에는 논의하지 않는다．

ことば

「ミーティング」meeting　会议　미팅

「報告」report　报告　보고

「いつもの通りに」in the same way as usual　像平常一样　여느 때처럼, 항상 그렇듯

「話し合う」discuss　商量, 讨论, 探讨　서로 이야기하다, 논의하다

「目標」goal　目标　목표

「問題になる」become a problem　成为问题　문제가 되다

「職場」workplace　工作单位, 工作岗位　직장

「無駄」waste　徒劳, 无益, 白搭　낭비, 허비

「なくす」remove, lose　失去　없애다

「テーマ」theme　题目, 课题　테마

「(テーマを)絞る」narrow down (themes)　缩小（题目）的范围, 焦点　(테마)를 정하다

「節約」saving　节约　절약

「アイデア」idea　主意, 想法　아이디어

「残業」overtime work　加班　잔업

「減らす」decrease　减少　줄이다

「能率」efficiency, effectiveness　效率　능률

「次に回す」move to next time　转到下一次, 放到下一次　다음으로 넘기다

20 ばん　正解 3

スクリプト

お父さんとお母さんが話しています。お母さんは何を心配していますか。

F（母）：ねえ、あなた、一度まさみとゆっくり話してよ。あの子、第二高校には行かないって言うの。

M（父）：え？どうしたんだ？あの高校でサッカーをやりたいってずっと言ってたじゃないか。

F：サッカーはもういいんですって。とにかく第三高校に行きたいって言うのよ。

M：第三高校か。あの高校はレベルが高いんだろう？

F：そう。勉強のレベルも高いし、スポーツもできるし。それはいいと思うんだけど。

M：じゃ、何が心配なんだ。

F：あのねー。第三高校に行きたいのは、制服がかわいいからなんですって。そんな理由で大事なことを決めるなんて……。自分の将来のことなのに。あの子は何を考えているのかしら。

M：ふうん。何かほかにも理由があるのかもしれないな。じゃあ、今晩ちょっと話してみよう。

お母さんは何を心配していますか。

ポイント

①「第三高校に行きたいのは、制服がかわいいからなんですって」＝娘は、制服がかわいいからという理由で第三高校に行きたいと言っている　My daughter wants to go to Daisan High School only because she thinks its school uniform is cute.　女儿说想去第三高中的理由是因为校服可爱。　딸은 교복이 귀엽다는 이유로 다이상고교에 가고 싶다고 하고 있다．

②「そんな理由で大事なことを決めるなんて……。自分の将来のことなのに。あの子は何を考えているのかしら」＝自分の将来という重要なことを、制服というあまり重要ではないもので決める娘の考え方が私は理解できない。　I don't understand what's in my daughter's mind which makes her decide on her future based on such an unimportant reason as the school uniform.　我不能理解女儿由制服这样不重要的理由来决定关系到自己将来的重要事情的思考方式。　자신의 장래라는 중요한 부분을，교복이라는 그다지 중요하지 않은 것으로 정하려고 하는 딸의 생각을 나는 이해할 수 없다．

◇「サッカーはもういいんですって」＝娘は、高校ではサッカーはやらないと言っている。

◇「そんな理由で大事なことを決めるなんて」＝そんな小さい、重要ではない理由で大事な将来のことを決めるのは、よくない。　It's not good to decide on her future based on such a trivial unimportant reason.　用这样小的，不重要的理由来决定将来的大事，不好。　그런 작은，중요하지 않은 이유로 소중한 장래를 결정하는 것은，좋지 않다．

ことば

「サッカー」 soccer　足球　축구
「レベル」 level　水平　레벨
「スポーツ」 sport(s)　运动　스포츠
「あのね」：親しい相手に対して、説明を始めるときや話し始めるときに使う言葉。　used before beginning an explanation or starting a conversation with a close person　对亲密的说话对象，开始说明或说话时用的词语。　친한 상대에게 설명을 시작하거나，얘기를 시작할 때 사용하는 말．
「制服」 uniform　制服　제복，교복
「将来」 future　将来　장래

21 ばん　正解 2

スクリプト

マラソンのあとでアナウンサーが選手にインタビューをしています。マラソンの結果はどうでしたか。

F（アナウンサー）：お疲れさまでした。調子はいかがでしたか。

M（選手）：はい、体がよく動きましたし、悪くなかったです。

F：本当に、ゴールまであと3キロのところからの走りはすばらしかった。ゴール前1キロのところではトップでしたね。

M：ええ、でも、そのあと、アレックス選手に抜かれてしまいましたけど。

F：おしかったです。でも、すばらしい成績でした。お疲れさまでした。

マラソンの結果はどうでしたか。

ポイント

「ゴール前1キロのところではトップでしたね」「でも、その後、アレックス選手に抜かれてしまいましたけど」＝ゴールまであと1キロのところでトップになったけれど、そのあと、後ろから来たアレックス選手に抜かれた。　Though I became the lead runner one kilometer before the goal, I got overtaken later by Alex who was behind me.　离终点还有1公里处跑在第一位，那以后，被从后面上来的亚历山大选手追上了。　골까지 1키로 남은 지점에서 1위였지만，그 다음 뒤에서 온 알랙스선수가 앞질러버렸다．→2位になった。

◇「抜かれた」＝後ろにいた人が自分より前に出た

ことば

「マラソン」 marathon　马拉松　마라톤
「アナウンサー」 announcer　播音员　아나운서
「選手」 runner, player　选手　선수
「インタビュー」 interview　采访　인터뷰
「結果」 result　结果　결과
「お疲れさまでした」 greeting said to a person who just finished work　辛苦了　수고하셨습니다
「調子」 condition　状態　상태
「ゴール」 goal　终点　골
「トップ」 top　第一名，第一位　톱
「抜く」 overtake, beat　追上　앞지르다
「おしい」 close　可惜　아깝다
「成績」 result, score　成绩　성적

22 ばん　正解 3

スクリプト

会社の人が話しています。この会社で必要な日本人社員はどんな人ですか。

M：うちの会社では、最近、外国の会社といっしょにする仕事が多くなりました。その結果、外国人社員も増えています。日本人の社員も外国語ができないと困るので、みんな英語やスペイン語や中国語を勉強しています。彼らは、もちろん、外国語の手紙や書類を読んだり書いたりできなければなりません。しかし、それ以上に大切なのは、ほかの社員と上手にコミュニケーションができることです。会社の中では、一人だけでする仕事はほとんどないからです。日本人にとって外国人社員と外国語でコミュニケーションをすることは、やさしいことではありません。でも、実は、日本人同士が日本語で行うコミュニケーションも同じくら

い難しいのです。どちらもできる日本人社員がこれからはますます必要です。

この会社で必要な日本人社員はどんな人ですか。

ポイント

① 「日本人にとって外国人社員と外国語でコミュニケーションをすることは、やさしいことではありません。でも、実は、日本人同士が日本語で行うコミュニケーションも同じくらい難しいのです」＝日本人が外国人と外国語でコミュニケーションするのは難しいけれど、日本人が日本人と日本語でコミュニケーションするのも、同じくらい難しい。 It is difficult for Japanese to communicate with foreigners using a foreign language, but it is as difficult for them to communicate with their fellow Japanese in Japanese. 日本人和外国人用外语交流很难，但是，日本人"用日语和日本人交流"也同样很难。 일본인이 외국인과 외국어로 커뮤니케이션을 취하는 것은 어렵지만, 일본인이 일본인과 일본어로 커뮤니케이션을 취하는 것도, 마찬가지로 어렵다.

② 「どちらもできる日本人社員がこれからはますます必要です」＝外国語でも、日本語でも、どちらでもコミュニケーションができる日本人社員が必要だ。 Japanese company employees who can communicate both in a foreign language and Japanese are needed. 外语也好，日语也好，无论哪种语言，我们需要能交流的日本人职员。 외국어로도, 일본어로도, 어느쪽으로도 커뮤니케이션이 가능한 일본인사원이 필요하다.

ことば

「社員」 company employee　职员　사원
「その結果」 as a result　那个结果　그 결과
「増える」 increase　增加　늘다
「書類」 papers, documents　文件　서류
「コミュニケーション」 communication　交流　커뮤니케이션
「ほとんどない」 almost none　几乎没有　거의 없다
「（日本人）にとって」 for (Japanese)　对（日本人）来说　（일본인）에게 있어서
「実は」 as a matter of fact　实际上　사실은
「（日本人）同士」 fellow (Japanese)　（日本人）之间　（일본인）끼리
「ますます」 increasingly　越来越　더욱, 점점

23 ばん　　正解 4

スクリプト

男の人と女の人が話しています。女の人はどうしてこの場所に引っ越しましたか。

M：引っ越ししたんだってね。どう？
F：うん、部屋は新しくてきれいだし、近くに大型スーパーもあるから買い物も便利なのよ。
M：そう。いいね。
F：でも、それよりね、すぐ近くに畑があるの。
M：えっ、畑？

F：そう。だれでも借りられる畑。私ねえ、前から自分で野菜を作ってみたいと思ってたんだ。
M：へえ、野菜作りが夢だったんだね。
F：うん、その夢が本当になるのよ。
M：そういうことで引っ越ししたの？
F：そう。会社から遠くなったけどね。

女の人はどうしてこの場所に引っ越しましたか。

ポイント

① 「それよりね、すぐ近くに畑があるの」「だれでも借りられる畑」＝（部屋が新しくてきれいで、買い物に便利だということよりも）もっといいことがある。それは、近くで畑が借りられることだ。 There's something better (than the fact that the room is new and clean and the place is convenient for shopping). It is that I can rent a piece of farm nearby. 比（屋子新而漂亮，买东西方便）更好的是，能租赁附近的田地。（방이 새롭고 깨끗하고, 쇼핑에 편리하다는 것보다도） 더 좋은 일이 있다. 그것은 가까운 곳에서 밭을 빌릴 수 있다는 것이다.

② 「そういうことで引っ越ししたの？」「そう」→畑を借りて野菜を自分で作るという夢が実現できるので、引っ越しした。 I moved here because I could make my dream of renting a piece of farm and grow vegetables there on my own come true. 因为能实现租赁田地, 自己种蔬菜的梦想, 所以搬家了。 밭을 빌려 야채를 직접 만들 수 있다는 꿈을 실현시킬 수 있어서, 이사했다.

ことば

「大型スーパー」 large supermarket　大型超市　대형슈퍼
「畑」 field, farm　田地　밭
「本当になる」＝実現する come true　実現　실현하다

24 ばん　　正解 4

スクリプト

女の学生と男の学生が話しています。男の学生がサークルに入らないのはどうしてですか。

F：ねえ、ゴルフサークル、入るでしょ？ 今日、申し込みに行かない？
M：うーん、ごめん、おれはちょっと……。ゴルフはやらないことにした。
F：えー？ そうなの？ なんで？ この間、「やってみておもしろかった」って言ってたじゃない。
M：うん、まあ、確かに楽しかったけど……。
F：練習はけっこう大変みたいだね。
M：ああ。でもまあ、あれぐらいなら別に……。
F：じゃあ、なんで？ 先輩たち、きびしいかと思ってたけど、そんなことなかったよね。
M：うん、でも、おれ、今週からバイト始めるんだ。それも、二つ。だから時間が……。
F：え？
M：できれば留学したいと思ってるんで、その準備。

F：ふうん、そうだったの。それは残念。

男の学生がサークルに入らないのはどうしてですか。

ポイント
「おれ、今週からバイト始めるんだ。それも、二つ。だから時間が……」＝アルバイトを2つするから、時間がない。

⚠
◇「でもまあ、あれぐらいなら別に……」＝（練習は）あの程度なら、そんなにきびしいとは思わない。だいじょうぶだ。I don't think that much of it (practicing) will be so hard, no problem. 如果是这种程度的（练习），我想并不严酷。没关系。(연습은) 저정도면, 그렇게 혹독하다고는 생각하지 않는다. 괜찮다.
◇「できれば留学したいと思ってるんで、その準備」→留学はまだ決まっていない。留学したいと思っているだけ。I haven't decided to do a study abroad. I'm just thinking about it. 还没有决定留学的事。只是想去留学。유학은 아직 정하지 않았다. 유학하고 싶다고 생각하고 있을 뿐.

ことば
「サークル」circle, club　小组，圈子　서클
「ゴルフ」golf　高尔夫　골프
「申し込み」application　申请　신청
「確かに」certainly, for sure　确实　확실히, 틀림없이
「けっこう」＝思ったより more...than one thought　比想象的～　생각했던 것보다
「おれ」＝ぼく
「バイト」＝アルバイト
「できれば」if possible　可能的话　가능하면
「留学する」study abroad　留学　유학하다

第5回
25 ばん　正解 3

スクリプト
男の人と女の人が話しています。この町はどのように変わりましたか。
M：久しぶりにここへ来たんですが、町がすっかり変わっていて、びっくりしました。
F：ええ、5年前に駅が大きくなってから、新しいビルもどんどん増えているんです。
M：ずいぶんにぎやかになりましたね。前はさびしいくらい静かだったのに。
F：ええ。以前は何もない町で、人口もどんどん減っていたんです。それで、人を増やすために、まず駅を大きくしたんです。
M：大きなショッピングセンターも駅前にできて。
F：ええ、そしたら、周りの町から人が来るようになりましたし、ほかの町から引っ越してくる人も増えています。

M：よかったですね。
F：ええ、確かに生活が便利になったのはよかったんですが、自然環境が変わってしまってね。「前のように緑がたくさんある環境のほうがよかった」と言う人も多いんですよ。
M：そうですか。でも、自然環境を前の状態に戻すというのも、難しいでしょうね。

この町はどのように変わりましたか。

ポイント
①「ほかの町から引っ越してくる人も増えています」＝人が増えた。
②「自然環境が変わってしまってね。『前のように緑がたくさんある環境のほうがよかった』と言う人も多いんですよ」→前は緑がたくさんあった。しかし、自然環境が変わってしまって、緑が減った。There used to be a lot of greens before, but they decreased after the natural environment has changed. 以前是一片葱绿。但是，自然环境发生了变化，绿色减少了。전에는 신록이 많았다. 하지만, 자연환경이 변해버려서, 신록이 줄었다.

⚠
◇「さびしいくらい静かだった」＝とても静かだった
◇この会話で言う「自然環境」とは「緑（植物）が多いか少ないかという状態」。The "自然環境（natural environment）" used in this conversation means "the condition in the amount of greens (plants)". 这段对话中的"自然环境（自然環境）"是指"绿（植物）"变少的状态。이 회화에서 말하는「自然環境（자연환경）」이란，「신록（식물）이 많은가 적은가의 상태」.

ことば
「久しぶりに」for the first time in a long time　很久，许久　오랜만에
「増える」increase　增加　늘다
「以前」before　以前　이전
「減る」decrease　減少　줄다
「増やす」increase　增加　늘리다
「ショッピングセンター」shopping center, shopping mall　购物中心　쇼핑센터
「自然」nature　自然　자연
「環境」environment　环境　환경
「緑」＝木
「状態」condition　状态　상태
「戻す」return　回到，恢复　되돌리다

26 ばん　正解 1

スクリプト
男の人と女の人が話しています。女の人が新しい携帯電話を買っていちばんよかったと思っていることは何ですか。

M：あ、新しい携帯電話、買ったの？

F：うん。ほら、かわいいでしょ？
M：うん。で、使ってみて、どう？
F：電話もメールも前のよりも使いやすくなってるね。それに、写真もきれいに撮れる。
M：うん。
F：おもしろいアプリも入れられるし。
M：ああ、便利なアプリがいろいろあるよね。
F：そう。私、家が遠いから電車に乗ってる時間が長いでしょ？でも、ゲームやってると退屈しないのよ。
M：わかる。始めると夢中になっちゃうんだ。
F：うん。前は電車でいつも寝てたけど、今は楽しんでる。買ってよかったな。
M：あ、おすすめのアプリがあったら、情報、よろしく。

女の人が新しい携帯電話を買っていちばんよかったと思っていることは何ですか。

ポイント
①「私、家が遠いから電車に乗ってる時間が長いでしょ？でも、ゲームやってると退屈しないんだ」＝電車に乗っている時間が長くても、ゲームをやっていると退屈しない。→電車の中でゲームを楽しんでいる。
②「前は電車でいつも寝てたけど、今は楽しんでる。買ってよかったな」＝この電話を買う前は電車の中で寝ていた。今は寝ないでゲームをやって楽しんでいる。だから、新しい携帯電話を買ってよかった。

⚠
◇「情報、よろしく」＝おもしろいアプリがあったら、教えてください。

ことば
「携帯電話」cellphone　手机　휴대전화
「メール」email　邮件　메일
「アプリ」application　应用软件　어플
「アプリを入れる」install an application　下载(装置,放入)应用软件　어플을 넣다
「ゲーム」game　游戏　게임
「退屈する」be bored　无聊,厌倦　지루하다, 싫증을 느끼다, 따분하다
「夢中になる」be crazy/excited　入迷　열중하다, 몰두하다
「おすすめ」recommendation　推荐　추천
「情報」information　情报　정보

27 ばん　正解 3
スクリプト
男の人と女の人が話しています。男の人がマンションを買わないのはどうしてですか。

M（田中）：ボーナス、もう出た？
F：うん、出た。でも、去年よりかなり下がった。景気が悪いから、しょうがないけど。
M：うちの会社なんて、去年の半分だよ。
F：ええ？それじゃ大変ね。田中君、マンション買いたいんでしょう？
M：前はそう思っていたんだけど。
F：そうねえ、景気がこんなだから。世の中、これからどうなるかわからないし。
M：うん、でもね、金の問題じゃないんだ。
F：え？
M：あの……、ぼくたち夫婦がどうなるかっていう問題。
F：ええ？あんなに仲がよかったじゃない。どうしたの？

男の人がマンションを買わないのはどうしてですか。

ポイント
①「景気がこんなだから。世の中、これからどうなるかわからないし」＝景気がこんなに悪いから、社会も変わってしまうかもしれない。Because the economy is so bad, the society itself may change as well. 景气那么不好, 公司说不定也会变。경기가 이렇게 나쁘므로, 사회도 변해버릴지도 모른다.
②「ぼくたち夫婦がどうなるかっていう問題」＝問題は夫婦の関係だ。→関係が悪くなって、二人は別れるかもしれない。

⚠
◇「あの……」：すらすら言えないとき、言いよどむときに、はじめに言う言葉。〈話し言葉〉 used at the beginning when one cannot say things fluently or when stammering 〈colloquial〉 不能流利地说话时,说话不流畅时,开始说话时所用的词语。〈口语〉 술술 말이 안나올 때, 말을 더듬거릴 때, 처음 얘기하는 말.〈구어〉
◇「あんなに仲がよかったじゃない。どうしたの？」＝前はとても仲がよかったのに、どうして仲が悪くなったのだろう。

ことば
「マンション」condominium, apartment　公寓　맨션
「ボーナス」bonus　奖金　보너스
「景気」economy　景气　경기
「世の中」this world, current society　世上　세상
「夫婦」husband and wife　夫妇　부부
「仲」(friendly) relationship　交情, 关系　사이

28 ばん　正解 3
スクリプト
教室で学生が話しています。男の学生はどんなテーマのレポートを書きますか。

F（本田）：ねえ、山田君、「日本文化」のレポートのテーマ、もう決めた？
M（山田）：まだ。最初は、すもうか柔道にしようと思ったけど、書けなくて。

F：知ってるつもりでも、レポートに書けるほどじゃないこと、多いよね。
M：そう。それで、先輩が去年レポート書いたときに使った本を借りたんだ。まだ読んでないけど、日本の祭りについての参考書。
F：お祭り？　あ、それ、おもしろいね。
M：あとは、歌舞伎もいいかなって思ってるんだ。日本文化の代表だから。本田さんは？
F：私は「食文化」にしようと思ってるの。寿司がどんなふうに変わってきたか、おもしろそうでしょ。資料も参考書もたくさんあるから、楽に書けそうなんだ。
M：へえ、寿司の歴史か。いいね。やっぱり資料や参考書があれば、書きやすいよな。じゃ、ぼくも決めた。参考書があるし、先輩からアドバイスももらえるし。

男の学生はどんなテーマのレポートを書きますか。

ポイント

①「先輩が去年レポート書いたときに使った本を借りたんだ・・・日本の祭りについての参考書」＝先輩から日本の祭りの参考書を借りた。　I borrowed a reference book on Japanese festivals from my senior.　从前辈那里借了日本祭祀的参考书。　선배로부터 일본축제에 관한 참고서를 빌렸다.

②「資料も参考書もたくさんあるから、楽に書けそうなんだ」＝資料や参考書があれば、書くのが楽そうだ。→資料や参考書があるテーマがいい。

③「ぼくも決めた。参考書があるし、先輩からアドバイスももらえるし」＝先輩から借りた本があるし、先輩からアドバイスも受けられる。「祭り」のテーマなら楽に書けそうだから、「祭り」に決めた。　I have decided on the theme "festivals" because I think I can write about it easily using the book I borrowed from my senior and receiving some advice from him.　从前辈那里借了书，还可以从前辈那里得到建议。以"祭祀"为题目的话，可以很容易地写。决定就写"祭祀"了。　선배한테 빌린 책도 있고, 선배한테서 조언도 얻을 수 있다. "축제"를 테마로 한다면 쉽게 적을 수 있을 것 같아, "축제"로 정했다.

ことば

「テーマ」theme, topic　題目　테마
「レポート」report　报告书　레포트
「すもう」sumo wrestling　相扑　일본씨름, 스모
「柔道」judo (Japanese martial art)　柔道　유도
「祭り」festival　祭祀　마쯔리, 축제
「参考書」reference book　参考书　참고서
「歌舞伎」kabuki (Japanese traditional form of drama and music)　歌舞伎　가부끼
「代表」leading example　代表　대표
「食文化」food/diet culture　饮食文化　식문화
「寿司」sushi　寿司　초밥
「どんなふうに」＝どのように
「資料」material　资料　자료
「楽(な)」easy　容易, 轻易, 快乐　편한, 쉬운
「歴史」history　历史　역사
「アドバイス」advice　建议　조언

29 ばん　正解 4

スクリプト

男の人が話しています。この人はどうして自転車で通勤することにしましたか。

M：私は最近、会社に自転車で行ってるんですよ。電車はやめました。自転車で通勤する人、増えてますね。その理由は、まず、交通費が節約できて経済的だということでしょう。それから、運動になるので体にいいということもあります。この二つの点を考えて、私も自転車にしたんです。ところが、実際に自転車通勤を始めてから、意外な新しい楽しみができたんですよ。それはね、町を走りながら、ちょっと変わった店を見つけたり、それから、感じのいい建物の写真を撮ったりすることなんです。自転車なら、いつでもどこでも止めることができるでしょう？　自転車通勤を始めるまでは、こんな楽しみがあることを知りませんでしたね。

この人はどうして自転車で通勤することにしましたか。

ポイント

①「その理由は、まず、交通費が節約できて経済的だということでしょう」＝自転車で通勤する人が増えている理由は、第一に経済的だということだ。

②「それから、運動になるので体にいいということもあります」＝第二の理由は、体にいいということだ。

③「この二つの点を考えて、私も自転車にしたんです」＝自分も、この二つの点を考えて自転車通勤を始めた。→自転車通勤を始めた理由は、経済的で体にもいいということだ。

⚠️

◇「実際に自転車通勤を始めてから、意外な新しい楽しみができたんですよ。・・・自転車通勤を始めるまでは、こんな楽しみがあることを知りませんでしたね」＝自転車通勤を始めるまでは、変わった店を見つけたり、建物の写真を撮ったりする楽しみがあることを知らなかった。　I didn't know till I started commuting to work by bicycle that there was such fun as finding interesting stores or taking pictures of some buildings.　还没有开始骑自行车上下班时，不知道寻找特别的店，拍建筑物的照片的乐趣。　자전거통근을 시작하기 전까지는, 색다른 가게를 발견하거나, 건물의 사진을 찍는 즐거움을 몰랐다.

→新しい楽しみがもてたのは自転車通勤を始めた**結果**で、**目的ではない。** It is not the purpose but the result of my starting commuting by bicycle that I could find new enjoyment. 有新的乐趣是骑自行车上下班的结果，不是目的。 새로운 즐거움을 갖을 수 있었던 것은 자전거통근을 시작한 결과로, 목적은 아니다.

ことば
「通勤する」 commute to work　上下班　통근하다
「増える」 increase　増加　늘다
「(交通)費」 (transportation) fee　（交通）費　（교통）비
「節約する」 save, be thrifty　节约　절약하다
「経済的(な)」 economical　经济(的)　경제적(인)
「ところが」 ＝しかし
「実際に」 actually　实际上　실제로
「意外(な)」 unexpected　意外(的)　의외(의)
「楽しみ」 ＝楽しいこと
「(楽しみが)できる」 find (new enjoyment)　有（乐趣）　(즐거움이) 생기다
「感じのいい」 nice-looking　感觉好　느낌이 좋다

30 ばん　正解 2

スクリプト
男の人と女の人が話しています。男の人は、この企画のどんな点がよくないと言っていますか。

M（上司）：木村さん、君が作った新しい商品の企画書、読んだよ。でもね、この企画はちょっと難しいな。
F（部下）：え？ どういう点でしょうか。説明が難しくてわかりにくいでしょうか。
M：いや、企画書の書き方の問題ではない。
F：じゃ、内容に何か問題が？
M：うーん、この商品ねえ、こういうものなら、もう、ほかの会社で作ってるよ。
F：はあ。
M：うちで作りたいのは、消費者があっと驚くようなものなんだ。
F：そうですか……。はい。

男の人は、この企画のどんな点がよくないと言っていますか。

ポイント
① 「この商品ねえ、こういうものなら、もう、ほかの会社で作ってるよ」＝この企画書の商品のようなものは、ほかの会社でもう作っている。→今までの商品と変わらない。だから、消費者は驚かない。 Such a product as the one in this project report is already being made by other companies. → It is no different from the same old traditional product, so consumers will not be impressed. 和这份计划书上类似的商品，别的公司已经在制造了。→和现在的商品没什么不一样。所以，消费者不会觉得吃惊。 이 기획서의 상품과 같은 것은, 다른 회사에서 벌써 만들었다→지금까지의 상품과 다를게 없다. 그러므로, 소비자는 놀라지 않는다.

② 「うちで作りたいのは、消費者があっと驚くようなものなんだ」→この会社は、消費者が驚くような、全く新しい商品を作りたいと考えている。 This company is planning to make a completely new product that can astonish consumers. 这个公司在考虑制造让消费者感到吃惊的全新的商品。 이 회사는 소비자가 놀랄 만한, 전혀 새로운 상품을 만들고 싶다고 생각하고 있다.

◇「消費者があっと驚くようなもの」＝今まであったものとは全然違う、新しいもの something that can astonish consumers　让消费者觉得赞叹和惊奇的东西　소비자 깜짝 놀랄 만한 것

ことば
「企画」 project　规划，计划　기획
「上司」 one's boss　上司　상사
「商品」 merchandise　商品　상품
「企画書」 project report　计划书，规划书　기획서
「部下」 one's subordinate　部下　부하
「内容」 contents, details　内容　내용
「消費者」 consumer　消費者　소비자
「あっと驚く」 ＝とても驚く

N3解答

概要理解

第1回

1ばん　正解 3

スクリプト（下線は p.42 の答え）

ラジオで男の人が話しています。

M：ご家族でゆっくりと①泊まっていただける広い②お部屋をご用意いたしました。寒い季節にぴったりの温かくておいしいお食事も③それぞれのお部屋にお持ちします。みなさま、ご家族でどうぞ。

男の人は何をしていますか。
1　レストランの紹介
2　自宅への招待
3　旅館の紹介
4　町の案内

①②からわかること：男の人は泊まるところの話をしている。→レストランではない。
③からわかること：泊まる部屋で食事をする。→自分の家ではない。→ホテルか旅館である。
②③からわかること：町の案内ではない。

2ばん　正解 3

スクリプト（下線は p.43 の答え）

男の人と女の人が話しています。

M：このかばん、インターネットショッピングで買ったんだ。いいだろ？
F：えー、でもインターネットで買い物するのって、ちょっと危なくない？ 商品を①手に取ってみることができないし。
M：でも、便利だよ。簡単に②店が探せるし、③値段を比べることもできるし……。店員にあれこれ④すすめられたりもしないし。出かけなくても⑤家で買い物ができるからね。
F：でも、店だったらすぐに⑥持って帰れて、商品を送る⑦お金もとられないし。
M：まあね。どの方法にもいいところ悪いところがあるからね。上手に使えば、やっぱり⑧便利でいいと思うよ。
F：⑨それはそうだけど、注意は必要よ。

女の人はインターネットショッピングについてどう思っていますか。
1　上手に使えば便利でいい
2　悪いところはない
3　いいところもあるが、危険もある
4　いいところもあるから使ってみたい

ことば

「インターネットショッピング」 online shopping　网上购物　인터넷쇼핑
「商品」 merchandise　商品　상품
「あれこれ」 ＝いろいろ
「すすめる」 recommend　推荐　권하다

①⑥⑦からわかること：女の人はインターネットの買い物はよくないと思っている。
②③④⑤からわかること：男の人はインターネットで買い物するのはいいと思っている。
⑧からわかること：男の人は、悪い点をよく理解してうまく使えば、便利でいいと言っている。
⑨からわかること：女の人はいい点もあることを認めているが、悪いところがあるから注意しなければいけないと言っている。

◇「商品を手に取ってみることができない」 cannot hold with your hand(s) and see the merchandise　不能用手拿着商品看　상품을 손으로 들어볼 수가 없다
◇「店員にあれこれすすめられたりもしない」 you will not be bothered by a store clerk recommending this and that　店员也没有向我们推荐各种商品　점원으로 부터 이것저것 권유받지도 않는다

3ばん　正解 1

スクリプト（下線は p.44 の答え）

女の人がテレビで話しています。

F：これが新しく発売するケーキです。ふつうパンやケーキには①小麦粉が使われますが、このケーキには②米粉を使いました。米粉って、ご存じですか。③お米から作った粉です。食べたときに④さっぱりした感じがします。いろいろな料理に⑤使いやすく、小麦粉よりも⑥健康にいいと言われています。日本では、米粉は昔からせんべいやだんごなどの⑦お菓子に使われてきました。最近ではパンや麺など、⑧いろいろな食品に使われるようになっています。私は今、⑨ケーキに使う研究をしているんです。

女の人は何について話していますか。
1　米粉はどんなものか
2　米粉がどうして健康にいいか
3　米粉と小麦粉はどこが違うか
4　どうやって米粉の研究をするか

ことば

「発売する」 be put on the market　出售　판매하다
「小麦粉」 flour　小麦粉　밀가루
「米粉」 rice flour　米粉　쌀가루

「さっぱりする」 tastes light　清淡，清爽　개운하다，담박하다，깔끔하다
「健康」 health　健康　건강
「せんべい」「だんご」：日本の伝統的な菓子 Japanese traditional snack　日本传统的糕点，点心　일본의 전통적인 과자
「菓子」 confectionery　糕点，点心　과자
「麺」 noodles　面条　면

①②からわかること：女の人は米粉を使ってケーキを作った。
③からわかること：米粉は米から作った粉だ。
④⑤⑥からわかること：米粉のいい点を言っている。
⑦⑧からわかること：米粉が使われる食品を言っている。
⑨からわかること：女の人は米粉をケーキに使う研究をしている。
③④⑤⑥⑦⑧：女の人は米粉がどんなものかについて話している。

◇「米粉って、ご存じですか」＝米粉を知っていますか
〈尊敬表現 honorific　尊敬表現　존경표현〉

第2回

4 ばん　正解 2

スクリプト（下線は p.45 の答え）

男の人と女の人が話しています。

M：最近よく図書館に行っているそうだね。①試験勉強？
F：②そうじゃないんだけど……。
M：あそこの図書館、③めずらしい本が多いとか？
F：めずらしい本が多いかどうかは④わからないけど。実はね。
M：え、何？
F：あそこの2階の⑤コーヒー、すごく⑥おいしいのよ。もちろん勉強にぴったりの⑦机といすもちゃんとあるし。本を読んだりレポートを書いたりするのに⑧疲れちゃったときに飲むコーヒーは⑨最高。
M：そうか。ぼくも一度行ってみようかな。

女の人は図書館についてどう思っていますか。
1　めずらしい本が多い
2　おいしいコーヒーが飲めて、いい
3　レポートが書きやすい
4　試験勉強にはよくない

ことば

「試験勉強」 studying for an exam　应考学习　시험공부
「実は」 I'll tell you what　实际上　사실은

「ぴったり」 perfect, just right　正合适　딱 맞음

①③からわかること：男の人は女の人がどうして図書館へ行くのかを聞いている。
②からわかること：女の人が図書館へ行くのは試験勉強をするためではない。
④からわかること：めずらしい本があるから図書館へ行くのではない。→めずらしい本がある図書館だとは思っていない。
⑤⑥からわかること：おいしいコーヒーが飲めるからいいと思っている。
⑦からわかること：机やいすがあるので、勉強ができる。
⑧⑨からわかること：疲れたときにコーヒーが飲めるのはとてもいいと思っている。

◇「実はね」＝実を言うと To tell the truth　说实话　사실을 말하면：「これから本当のことを言います」という意味。　means "I'm goint to tell you the truth"　"现在开始说真实的话"的意思。　지금부터 사실을 말하겠습니다라는 의미．

◇「最高」＝非常にいい　excellent　非常好　최고

5 ばん　正解 1

スクリプト（下線は p.46 の答え）

男の人が話しています。

M：明日、①朝8時半にここに集まってください。簡単に②ミーティングをしてから、みんなでいっしょにコンサート会場に③移動します。田中さんと川田さんは会場の入り口で④受付の準備をお願いします。会場の準備はだいたい⑤終わりましたから、明日は会場に着いたらそれぞれ⑥自分の仕事をやってください。何か問題があったときには、すぐに私に連絡すること。特に⑦楽器のチェックはしっかりしておいてください。明日は絶対に成功させましょう。

男の人は何について話していますか。
1　コンサートの日の朝にすること
2　コンサート会場への行き方
3　コンサート会場の準備のしかた
4　コンサートの前の日に準備すること

ことば

「ミーティング」 meeting　会议　미팅
「コンサート」 concert　音乐会　콘서트
「移動する」 move (to another place)　移动　이동하다
「問題がある」 there's a problem　有问题　문제가 있다
「楽器」 (musical) instrument　乐器　악기
「成功する」 be a success　成功　성공하다

N3 解答

💡
① からわかること：明日の朝8時半に、今いる場所に集まる。
② からわかること：明日の朝、今いる場所でミーティングをする。
③ からわかること：ミーティングのあと、コンサート会場へ行く。
④⑥⑦：明日コンサート会場に着いたらすること。
⑤ からわかること：会場の準備はもうできたから、明日はしない。

⚠️
◇「簡単にミーティングをして」having a brief meeting　开个简单的会议　간단하게 미팅을 하고
◇「それぞれ自分の仕事をやってください」each of you please do your own work　请各自做自己的事情　각자 자기가 맡은 일을 해주세요
◇「すぐに私に連絡すること。」＝すぐ私に連絡してください。
「～こと。／～ないこと。」＝～してください／してはいけません：指示をしたり、注意をしたりするときの表現。used when giving a direction or warning　发出指示或提醒，警告时的表现　지시를 하거나, 주의를 할 때 사용하는 표현.
例：「パスポートを忘れないこと。」「遅刻をしないこと。」

6ばん　正解 2

スクリプト（下線は p.47 の答え）

ラジオで女の人と男の人が話しています。

F：それでは、木村さんのご趣味についてうかがいます。木村さんはウォーキングをなさっているそうですね。
M：ええ、2年前30年勤めた①<u>会社をやめて</u>、何か新しいことを始めようと思って、②<u>ウォーキング</u>を始めました。初めは近所を一人で③<u>一時間ぐらい歩く</u>程度だったんですが、そのうちよく顔を合わせる人たちと④<u>いっしょに歩く</u>ようになり、その人たちとウォーキングの⑤<u>会を作る</u>ことになりました。今では会員も増えて、月に5、6回20人前後がいっしょに近所の公園の周りを4、5キロ歩いています。そこで仲間と⑥<u>いっしょに過ごす時間</u>が、今では私の⑦<u>いちばんの楽しみ</u>になっています。

男の人が言いたいことは何ですか。
1　ウォーキングは健康にいい
2　ウォーキングでいい仲間ができた
3　ウォーキングはとても人気がある
4　ウォーキングの会に入れた

ことば
「勤める」work (for a company)　工作　근무하다
「ウォーキング」walking　走路　워킹
「程度」level, degree　程度　정도
「顔を合わせる」see someone (regularly)　碰面，照面　만나다, 대면하다
「会を作る」set up a club　成立协会　모임을 만들다
「会員」club member　会员　회원
「～前後」＝～ぐらい
「仲間」fellow member　同志，伙伴，朋友　동료, 친구
「過ごす」spend time　过，度过　지내다

💡
①② からわかること：仕事をやめたあと、ウォーキングを始めた。
③ からわかること：初めは近所を一人で歩いていた。
④ からわかること：ウォーキングで知り合った人といっしょに歩くようになった。
⑤ からわかること：ウォーキングの会を作った。
⑥⑦ からわかること：会員といっしょにいる時間がいちばん楽しい。

⚠️
◇「月に5、6回」＝1か月に5回か6回ぐらい　five or six times a month　每个月5, 6次　한달에 5,6 회
◇「20人前後」＝20人ぐらい

第3回
7ばん　正解 3

スクリプト（下線は p.48 の答え）

テレビでアナウンサーが話しています。

F：今日は①<u>寒い一日でした</u>。日本のあちこちで雪が②<u>降りました</u>が、今朝の富士山はきれいに晴れました。こちらをご覧ください。ちょうど富士山の上から太陽が③<u>出てきています</u>ね。これは、④<u>ダイヤモンドの指輪</u>が美しく光っているようなので、「ダイヤモンド富士」と呼ばれています。あ、光が⑤<u>強くなってきました</u>ね。冬のこの時期に⑥<u>数日間しか見られない</u>ものです。⑦<u>ご覧ください</u>。今朝も「ダイヤモンド富士」の写真を撮るために、こんなに多くの⑧<u>カメラマン</u>が集まりました。

アナウンサーは何を見て話していますか。
1　富士山
2　富士山の写真
3　富士山のビデオ
4　ダイヤモンドの指輪

ことば
「富士山」：日本でいちばん高い山の名前。
「ダイヤモンド」diamond　钻石　다이아몬드

「時期」season, period　时期　시기
「数日間」for a few days　几天时间　며칠간
「カメラマン」cameraman　摄影师　카메라맨

💡
①②からわかること：今は夜。女の人は夜のテレビ番組で話している。
③からわかること：今テレビには富士山の山頂から出る朝日が映っている。The rising sun appearing from the top of Mount Fuji is being shown on TV. 现在电视上在放映从富士山的山顶升起的旭日。지금 텔레비전에서는 후지산 정상에서 아침해가 나오는 모습이 방송되고 있다.
④からわかること：富士山の日の出がダイヤモンドの指輪のように見える。ダイヤモンドの指輪が映っているのではない。The sunrise from Mount Fuji looks like a diamond ring. It does not mean a diamond ring is being shown. 富士山的日出看上去像钻石戒指。并不是放映着钻石戒指。후지산의 일출이 다이아몬드 반지처럼 보인다. 다이아몬드 반지가 비쳐지고 있는것은 아니다.
⑤からわかること：太陽の光が強くなっているのがわかる。→テレビの映像は動いている。The picture on the TV is moving. 电视机映像在闪动。텔레비전의 영상은 움직이고 있다. →写真ではない。
⑥からわかること：富士山の日の出がダイヤモンドの指輪のように見えるのは、冬の数日間だけだ。
⑦⑧からわかること：テレビに今朝カメラマンが集まったところが映っている。The scene of cameramen gathering this morning is showing on TV. 电视上放映着今天早上摄影家聚集的镜头。텔리비전에 오늘아침 카메라맨이 모여있는 모습이 방송되고 있다.

⚠️
◇「今朝の富士山はきれいに晴れました」＝今朝の富士山の天気はとてもよかった

8ばん　正解2
スクリプト（下線はp.49の答え）
学生と、アパートの大家さんが話しています。

F（大家）：あのう、大家の鈴木ですが……。
M（学生）：はい。
F：あのう、ちょっと言いにくいんですが……。最近、①遅くまでテレビを見ているでしょう？
M：えっ。テレビですか。②そんなに見ていませんよ。
F：実はね、ほかの部屋の人から、③音がうるさいって言われているんだけど……。いえね、テレビを見ちゃいけないって④言っているんじゃなくて、ただ、もう少し、⑤音を低くしてもらえないかって思って……。
M：あっ、もしかして……。実は⑥スピーチコンテストに出るんで、夜、⑦部屋で練習しているんです。それで⑧大きな声を出していたかもしれません。すみません……。
F：そうでしたか。⑨テレビじゃなかったんですね。
M：申し訳ありませんでした。これからは気をつけます。

大家さんが言いたかったことは何ですか。
1　夜遅くまでテレビを見ないでほしい
2　テレビの音を小さくしてほしい
3　大きな声を出さないでほしい
4　スピーチの練習をしないでほしい

ことば
「大家」landlord　房东　집주인
「スピーチ」speech　演说　스피치

💡
①②からわかること：大家さんは学生が遅くまでテレビを見ていると思っていたが、学生はそれほど見ていないと言っている。
③からわかること：大家さんはほかの部屋の人から学生の部屋の音がうるさいと言われて、学生の部屋に来た。
④⑤からわかること：音を小さくすればいい。
⑥⑦⑧からわかること：学生は部屋で大きな声でスピーチの練習をしていた。
⑨からわかること：うるさい音はテレビではなく、学生の声だった。

⚠️
◇「音を低くしてもらえないかって思って……」→大家さんは音を小さくしてほしいと学生に言っている。
◇「もしかして〜」＝〜かもしれない
◇「テレビじゃなかったんですね」＝「テレビの音ではなかったことがわかりました」

9ばん　正解2
スクリプト（下線はp.50の答え）
男の人と市役所の職員が話しています。

M：あのう、すみません。あそこに書いてある「さわやかスタッフ」って何ですか。
F（職員）：あ、はい。こちらの市役所には、「さわやかスタッフ」が①4人います。市民のみなさまは、いろいろなご用で市役所へ来られますが、手続きをする前に②申し込み用紙に必要なことを書いていただかなければならなかったり、③ご準備いただくものがあったりします。「さわやかスタッフ」は、市役所に来られたみなさまが④お困りになることがないように、ご案内をしたり、⑤お手伝いをしたりします。

「さわやかスタッフ」というのは何ですか。

1 市役所で手続きをする人
2 市役所の手続きを手伝う人
3 手続きに必要なものを準備する人
4 市役所で申し込み用紙を書く人

ことば
「市役所(しやくしょ)」city office　市政府　시청
「さわやか(な)」refreshing, helpful　清爽，爽快　산뜻한，상쾌한
「スタッフ」staff　职员　스텝
「手続(てつづ)き」procedure　手续　수속
「申(もう)し込(こ)み用紙(ようし)」application form　申请用表　신청용지

💡
①からわかること：「さわやかスタッフ」は何かをする係(かかり)の人のこと。
②③からわかること：市役所では手続きをする前にしなければいけないことや、準備しなければいけないものがある。
④⑤からわかること：「さわやかスタッフ」は市民が困らないように教えたり、手伝ったりする。→手続きはしない。

⚠️
◇「お困(こま)りになることがないように」＝困らないように
〈尊敬表現(そんけいひょうげん) honorific　尊敬表现　존경표현〉

第4回

10ばん　正解 1

スクリプト（下線は p.51 の答え）
男の人が本屋で話しています。

M：すみません。「だれにもわかる世界の経済(けいざい)」という①本ありますか。
F：あ、すみません。先週まであったんですが、もう②全部出てしまったんです。
M：え、そうなんですか。
F：また③来週(らいしゅう)か再来週(さらいしゅう)に入ってくる予定(よてい)ですけど。
M：う～ん、来週か再来週か。困ったなあ。再来週が④レポートのしめ切りなんです。⑤今週中(こんしゅうちゅう)には無(む)理ですか。
F：そうですね。⑥いつ入るか調(しら)べて、お知らせしましょうか。
M：そうですか。だめだったら、レポートのしめ切り、⑦延(の)ばしてもらわなきゃいけないんで、よろしくお願(ねが)いします。

男の人はどうしたいと思っていますか。
1 今週中に本を買いたい
2 来週までに本を買いたい
3 再来週までに本を買いたい
4 レポートのしめ切りを延ばしてもらいたい

ことば
「しめ切(き)り」deadline　截止　마감
「延(の)ばす」put off　延长，延期　연기하다，연장시키다

💡
①からわかること：男の人は本を買いに来た。
②からわかること：この店の本は売り切れてしまった。
③からわかること：来週か再来週なら本がある。
④⑤からわかること：再来週までにレポートを書かなければならないので、今週中に本がほしい。
⑥からわかること：店の人はいつ本が来るかを調べて男の人に電話する。
⑦からわかること：今週中に本が来ない場合(ばあい)は、先生にレポートの締め切りを延ばしてもらえるように頼まなければいけない。→いつ本が来るかどうか早く知らせてほしい。

⚠️
◇「全部出てしまった」＝全部売り切れてしまった→もう残っていない。all the books sold out → nothing remains　全部售完了→没有剩下了　전부 매지되어 버렸다→더이상 남아 있지 않다
◇「入ってくる」＝（店に本が）来る
◇「延ばしてもらわなきゃいけないんで」＝（レポートの締め切りを先生に）遅くしてもらえるように頼まなければいけないので　because I need to ask (my teacher) to put off (the deadline of my report)　不得不向（老师）请求推迟（报告的截止日期）　보고서 제출마감일을 선생님께 늦춰달라고 부탁하지 않으면 안되므로
「(もらわ)なきゃ」＝「(もらわ)なければ」

11ばん　正解 3

スクリプト（下線は p.52 の答え）
女の人が電話で話しています。

F：そうなのよ、私もね、昨日(きのう)の夜、聞いたばかりなの。主人も①びっくりしたらしいけど、今はずっと②やりたいと思っていた仕事ができるって言って喜(よろこ)んでいるわ。でも急でびっくりしちゃった。主人は今月の終わりに③先(さき)に1人で行って、私と子どもたちも来月にはここを④出なきゃいけないんですって。まあ、住むところは会社が⑤探(さが)してくれるらしいし、⑥便利な町みたいだから、あまり⑦心配(しんぱい)はしてないんだけど……。⑧子どもたちがね。下の子は小学校の4年生、上の子が中学2年生で、⑨サッカーのクラブとか高校の⑩受験(じゅけん)とか、いろいろあって、⑪それが心配なのよね。

女の人は何について話していますか。
1 夫が会社をやめること
2 家族の様子(ようす)
3 引っ越し

4 子どもの受験
ことば
「クラブ」 club　倶乐部　클럽
「受験（じゅけん）」 taking an entrance exam　报考，应试　수험

①②③からわかること：女の人の夫が転勤（てんきん）をすることになった。The woman's husband is going to be transferred (at work).　女人的丈夫要调动工作了。　여자의 남편이 전근을 가게 되었다.
③④からわかること：女の人の家族は全員引っ越しをする。
⑤⑥⑦からわかること：引っ越すところについては心配していない。
⑧からわかること：子どもたちのことには問題がある。
⑨⑩⑪からわかること：子どものことが心配だ。

◇「でも急でびっくりしちゃった」＝急にこのこと（夫の仕事が変わること）を聞いてびっくりした。 I was surprised to hear it (that my husband's job is going to change) so suddenly.　突然听到（丈夫要调动工作）的事，很吃惊。 갑자기 이 얘기(남편의 일이 변하는 것)를 들어서 놀랐다.
◇「ここを出なきゃいけないんです」＝今住んでいるところを出て、別のところへ引っ越しをしなければならない。 We need to leave where we live now and move to another place.　必须搬出现在住的地方，搬迁到别的地方。 지금 살고 있는 곳을 나가서, 다른 곳으로 이사해야 한다.
◇「子どもたちがね」＝子どもたちが心配だ。

12 ばん　正解 3
スクリプト（下線は p.53 の答え）
テレビで男の人が話しています。

M：お酒は①上手（じょうず）に飲めば、心も体も楽（らく）になって②楽しい時間が過ごせるものです。では、③どんな飲み方をすれば楽しい時間を過ごせるのでしょうか。まず、笑（わら）いながら④家族や友人と楽しく飲む。そして何かを⑤食べながら飲む。⑥お酒だけを飲むのは胃に悪いです。⑦おいしい料理といっしょなら、お酒も料理ももっとおいしくなります。そして、何より大切なのは、⑧ゆっくり飲むことです。⑨飲むスピードが速（はや）いと体の調子（ちょうし）を悪くします。「おいしい料理を食べながら、ゆっくり酒を飲む」、これが⑩酒を楽しむ方法（ほうほう）です。

男の人がいちばん言いたいことは何ですか。
1 酒はおいしい料理といっしょに飲むといい
2 酒は心も体も楽にするものだ
3 酒を楽しむためには飲み方が大切だ
4 酒を飲みすぎると体の調子が悪くなる

ことば
「過（す）ごす」 spend (time)　度过　지내다
「胃（い）」 stomach　胃　위
「何（なに）より」 more than anything　比什么（都）　무엇보다

①②からわかること：酒の飲み方で楽しい時間になったり、ならなかったりする。
③からわかること：どんな飲み方がいいか考える。
④⑤⑥⑦⑧からわかること：男の人はお酒のいい飲み方を話している。
⑧⑨からわかること：お酒はゆっくり飲んだほうがいい。
⑩からわかること：男の人は酒を楽しむための飲み方を言っている。

◇「飲むスピードが速（はや）いと体の調子（ちょうし）を悪くします」＝飲むスピードが速いと体の調子が悪くなる。

第 5 回
13 ばん　正解 3
スクリプト（下線は p.54 の答え）
男の人が話しています。

M：昨日（きのう）の夜から降（ふ）り続（つづ）いている雨は①今晩（こんばん）にはやみ、明日は②いい天気になるでしょう。③しかし、この天気も④長くは続かず、明後日（あさって）の午後からは⑤また雨になるでしょう。週末は気温（きおん）が下（さ）がると予想されますので、⑥雪になるかもしれません。

天気はこれからどうなると言っていますか。
1 悪い天気が続く
2 いい天気になる
3 一度（いちど）よくなるが、また悪（わる）くなる
4 悪い天気が続いたあと、天気がよくなる

ことば
「週末（しゅうまつ）」 weekend　周末　주말
「予想（よそう）する」 predict　预想　예상하다

①からわかること：雨がやむ。
②からわかること：このあと天気はよくなる。
③④からわかること：いい天気は続かない。→また天気は悪くなる。
⑤⑥からわかること：明後日から天気は悪くなる。

14 ばん　正解 3
スクリプト（下線は p.55 の答え）
男の人と女の人が話しています。

F：山本（やまもと）さん、ヨーロッパ旅行、どうだった？
M：①それがね。旅行会社のツアーで、10人でいっし

よに行ったんだけどね。
F：感じのよくない人がいたの？
M：いや、みんな②いい人たちだったよ。年齢も仕事もいろいろだったけど、家族みたいに③いろんな話をしながら旅行したよ。
F：じゃあ、問題ないじゃない。
M：いや、それが問題なんだ。家族みたいにぼくのことを④よく知っているんだ。
F：え、どういうこと？
M：空港で参加者が集まったときに名簿が配られたんだけど、⑤名前だけじゃなくて、誕生日とか趣味とか、仕事とか、いろいろ書いてあるんだ。
F：でも、それは山本さんが教えたからでしょ？
M：確かに旅行の申し込みのあとにアンケートですって言われて書いたけど、まさかみんなに⑥配ると思わなかったよ。何のことわりもなしに配るなんて。
F：そうやってみんなに配るためにアンケートをするって書いてあったはずよ。
M：ただ書いておくだけじゃ気がつかない人だっているだろう？第一、旅行するのにどうしてそんな個人的なことが⑦必要なのかな。ぼくには理解できないね。
F：みんなが楽しく旅行できるように、旅行会社の人が考えたんだと思うけどな。

男の人はこの旅行についてどう思っていますか。
1 知らない人と旅行するのは問題が多い
2 アンケートは旅行のあとにしたほうがいい
3 個人的なことをほかの人に知らせないでほしい
4 参加者に名簿を配る必要はない

ことば
「ツアー」tour 旅行 투어
「感じがいい／悪い」friendly/unfriendly 感觉很好／不好 느낌이 좋다／나쁘다
「参加者」participants 参加者 참가자
「名簿」name list 名单 명부
「配る」distribute 发放 배포하다, 나누어 주다
「アンケート」questionnaire 调查表 앙케이트
「まさか（〜ない）」I little imagined that 〜 难道（不〜）설마（〜하지 않다）
「ことわり」approval, permission 预告, 预先通知 양해
「個人的(な)」private, personal 私人(的), 个人(的) 개인적(인)

①からわかること：何か問題があった。
②③からわかること：参加者はよかった。
④からわかること：個人のことをよく知っている。
⑤⑥からわかること：アンケートに個人のことを書いたが、みんなに知らせるとは思わなかった。

⑦からわかること：男の人は、旅行するのに個人的なことは必要ではないと思っている。

◇「それがね」→何か問題があった。
「それが」：相手が予想している内容に合わないことをこのあと言うときの言葉。 used when saying what the other person does not expect to hear 接下来要讲与对方预想的内容相异的事情时用的词语。 상대방이 예상하고 있는 내용과 맞지 않은 내용을 이다음 얘기할 때 사용하는 말 例：A「昨日の映画、おもしろかった？」B「それが、急に用事ができて、見に行けなかったんだ」
◇「まさかみんなに配ると思わなかった」＝みんなに配ることは全く予想していなかったのでとても驚いた。
◇「何のことわりもなしに」＝ことわらないで＝許可を得ないで without permission 没有得到允许 허가 받지 않고

15 ばん　正解 2

スクリプト（下線は p.56 の答え）
男の人が新しい商品の説明をしています。

M：こちらをご覧ください。新しい商品の「カラフルバランス」でございます。毎日の生活を変えずにやせたいという主婦の皆様に喜んでいただけると思います。①これをはいていつも通り②家事をしていただくだけで、足も腰もすっきりします。③この底をご覧ください。少し④丸くなっていますね。最初は⑤歩きにくいと思われるかもしれませんが、⑥靴のように足のうらにぴったりついてくるので、とても楽に、気持ちよく歩けます。いつも通り⑦家の中を動くだけでできる⑧トレーニング、いかがですか。色は全部で10色です。お好きな色をお選びください。

男の人が説明している物は何ですか。
1 ズボン
2 スリッパ
3 くつ
4 トレーニングの機械

ことば
「主婦」housewife 主妇 주부
「家事」housework 家务事 가사
「腰」hips 腰 허리
「すっきり」slim, light 舒畅, 畅快 말끔, 산뜻, 시원
「底」bottom, sole 底, 底部 바닥
「足のうら」sole of a foot 足底 발바닥
「ぴったり」tight 正好, 恰好 딱, 꼭 (맞음)
「トレーニング」training 锻炼, 训练 트레이닝

①からわかること：男の人は、はくものについて話をしている。

②⑦⑧からわかること：これは、いつも通りの家事をするだけでトレーニングできるものだ。→トレーニングの機械ではない。

③④⑤からわかること：これは底があるもので歩くのに使うものだ。→靴かスリッパ

⑥からわかること：靴ではない。→スリッパ

⚠️

◇「生活を変えずに」＝生活を変えないで／いつもと同じように生活しながら

◇「いつも通り」＝いつもと同じように

◇「足も腰もすっきりします」both your legs and hips will get slimmer　脚和腰很舒畅　다리도 허리도 말끔해 집니다

◇「足のうらにぴったりついてくる」fit tight to the soles of your feet　緊跟着足底　발바닥에 딱 달라붙는다

第6回

16 ばん　正解 1

スクリプト（下線は p.57 の答え）

大学で先生が話しています。

F：みなさんも知っていると思いますが、私の授業では試験は行いません。①レポートで成績をつけます。ただし、インターネットで見つけた文章を②コピーして、そのままレポートに使う学生も多いようですが、そんなレポートは③受け付けません。こう言っても、④どこからコピーしたかわからなければだいじょうぶだと思っている人はいませんか。実は、⑤わかるのですよ。なぜかというと、いつも何人もの学生が⑥同じ文章のレポートを出すからです。同じところから文章を⑦コピーして使えば、同じレポートになりますね。私はみなさんが私の授業で⑧何を考えたかを知りたいのです。いいですか。まず、ちゃんと授業を受けること。そして、よく⑨考えること。考えない人は学生とは言えませんよ。

先生が言いたいことは何ですか。

1　インターネットの文章をコピーしてはだめだ
2　ほかの学生のレポートをコピーしてはいけない
3　何をコピーしたかわかるようにしてほしい
4　どんな文章をコピーするかよく考えてほしい

ことば

「レポート」report　报告, 报告书　보고서, 레포트
「成績をつける」grade　评定成绩　성적을 매기다
「インターネット」Internet　因特网　인터넷
「受け付ける」accept　受理　받아들이다, 접수하다

💡

①からわかること：学生はレポートを書かなければならない。

②③からわかること：インターネットの文章をコピーしたレポートはだめだ。

④⑤からわかること：どこからコピーしたかはすぐわかる。

⑥⑦からわかる：コピーをしたら同じレポートになるのは当たり前だ。

⑧⑨からわかること：自分が考えたことを書いてほしい。

⚠️

◇「そんなレポートは受け付けません」＝そんなレポートを出しても、私は受け取らない。　I will not accept such a report.　拿出那样的报告，我不能接受。　그런 보고서를 제출해도, 나는 받지 않는다.

17 ばん　正解 4

スクリプト（下線は p.58 の答え）

男の人と女の人が話しています。

F：うわー、きれい。①ここまで上がると町中が見られて、いいわね。
M：ほら、②あそこが今日泊まるホテルだよ。
F：へえ。③高い建物ね。④このビルとどっちが高いかな。
M：それはもちろん⑤こっちだよ。日本一高いビルなんだから。
F：ホテル、⑥上の方の部屋だったらいいなあ。ながめがいいから。
M：だいじょうぶ。あのビルは⑦20階から30階までがホテルなんだ。
F：じゃあ、景色は絶対だいじょうぶね。
M：そう。⑧いちばん上にはレストランもあるから、⑨夕食はそこにしよう。
F：へえ。楽しみね。早く行きましょう。⑩エレベーターはあっちよ。

二人は今どこにいますか。

1　ホテルの部屋
2　ホテルのあるビルの中
3　日本一高いビルが見えるところ
4　日本一高いビルの中

ことば

「町中」＝町の全体
「ながめ」view　景色, 景致　경치＝景色

💡

①からわかること：二人は高いところにいる。

②③からわかること：二人はホテルがある建物を見ている。→ホテルにはいない。

④⑤からわかること：二人は日本一高いビルにいる。

⑥からわかること：二人はまだホテルの部屋に入っていない。

⑦⑧からわかること：ホテルのある建物は高いビルで、いちばん上にレストランがある。
⑨からわかること：二人はまだレストランに行っていない。
⑩からわかること：二人はこれからレストランへ行く。
→今いるビル（日本一高いビル）の下へ降りて、ホテルのあるビルへ行く。

◇「景色は絶対だいじょうぶ」＝景色は絶対にいい

18ばん　正解 1
スクリプト（下線は p.59 の答え）

会社で女の人が話しています。

F：みなさんにお知らせします。来月は毎週水曜日の午後、①研修を行います。研修は、4つのグループに分かれて行います。今、②研修の案内をメールで送りましたので、自分のグループと研修の時間と場所を③確認しておいてください。もし参加できなくなった場合は、田中さんか私にメールで連絡してください。研修の内容は④この会社で仕事をするのに知らなければいけないことばかりです。第一回目は⑤電話のマナーについて研修する予定です。みなさんは⑥入社したばかりですから、先輩が電話をかけたり、受けたりしているときにどんな話し方をしているかよく聞いておいてください。

女の人は何について話していますか。
1　新しい社員の研修
2　電話のかけ方の研修
3　来月の仕事の進め方
4　グループの分け方

ことば
「研修」training　研修　연수
「グループ」group　小组　그룹
「確認する」confirm　确认　확인하다
「参加する」participate　参加　참가하다
「内容」contents　内容　내용
「マナー」manners　礼貌，礼节　매너
「入社する」enter a company　进公司　입사하다
「電話を受ける」receive a phone call　接电话　전화를 받다

①②③からわかること：研修が行われる。
④⑤からわかること：研修の内容は、この会社で働くのに必要なことである。
⑥からわかること：女の人は入社したばかりの人（新しい社員）に話している。

第 7 回
19ばん　正解 2
スクリプト（下線は p.60 の答え）

テレビで男の人が話しています。

M：この①質問に対する答えの今年の第 1 位は、やはり夏に来た②台風 13 号でした。ここ 10 年の中ではもっとも大きい台風で、多くの方が亡くなりました。次に多かったのが、オリンピックでの③女性の活躍です。マラソン、サッカーなどで④女性がすばらしい成績を残しました。第 3 位は世界でいちばん計算が速いスーパーコンピューターが⑤我が国で作られたことです。我が国の技術の高さを⑥世界に知らせることができて、うれしいという意見でした。今年は⑦暗く悪いニュースが多かったのですが、その暗い気持ちを元気にする⑧明るいニュースが人々の心に⑨強く残ったと言えます。

男の人はどんな質問について話していますか。
1　今年いちばんよく見たテレビ番組は何か
2　今年いちばん強く心に残ったニュースは何か
3　今年のうれしいニュースは何か
4　今年はどんな年だったと思うか

ことば
「第〜位」the 〜 place (the rank of the result of a questionnaire)　第〜位　제〜위
「活躍」great performance　活跃　활약
「マラソン」marathon　马拉松　마라톤
「成績」score, result　成绩　성적
「計算」calculation　计算　계산
「スーパーコンピューター」super computer　超级电脑　슈퍼컴퓨터

①からわかること：男の人はある質問に答えている。
②からわかること：いちばん多かった答えの「台風」は悪いニュース。→「うれしいニュースは何か」という質問ではない。
③④⑤⑥からわかること：2位、3位はいいニュース。
→ニュースだから「よく見るテレビ番組は何か」という質問ではない。
⑦からわかること：実際は悪いニュースのほうが多かった。→悪いニュースのほうが多いのに、人々の答えの2位と3位はいいニュースだ。
⑧⑨からわかること：いろいろなニュースの中から心に強く残ったニュースについて答えている。→質問は「心に残ったニュースは何か」である。→「今年はどんな年だったか」ではない。

20 ばん　正解 3

スクリプト（下線は p.61 の答え）

男の人と女の人が話しています。

M：テニスなんて①久しぶりだなあ……。学生のとき以来だよ。さあ、②早く始めよう。
F：③だめだめ。④急に動くと、けがをしやすいし、体によくないよ。
M：だいじょうぶだよ。早くやろうよ。
F：だめだめ。はい、やって。⑤こうやって軽く体を動かすといいのよ。体温が上がって、体がやわらかくなるから。そうすると、けがも少なくなるのよ。次は、⑥足を伸ばして。⑦そうそう。けがをしたスポーツ選手が⑧リハビリをするときの方法よ。
M：なるほど……。⑨こうすると体も温まってくるね。
F：スポーツが⑩終わったあとも 10 分くらいこうやって⑪体を軽く動かすといいのよ。次の日に体が痛くならないように。
M：ふうん。わかった。じゃあ、そろそろ⑫始めようか！

二人は今何をしていますか。
1　テニス
2　リハビリ
3　スポーツをする前の運動
4　スポーツをしたあとの運動

ことば
「〜以来」＝〜から〈時間〉
「体温」body temperature　体温　체온
「伸ばす」extend, stretch　伸展　펴다, 뻗다
「リハビリ」rehabilitation　迟迟　재활
「温まる」get warm　加热　따뜻해지다

①からわかること：男の人は長い間テニスをしていなかった。
②からわかること：これからテニスをする。
③④からわかること：急にテニスをしてはいけない。
⑤からわかること：女の人は準備の運動をして、男の人に見せている。
⑥⑦からわかること：男の人もいっしょに準備の運動をしている。
⑧からわかること：この運動はリハビリのときにもする運動だ。
⑨からわかること：男の人は今、体を動かしている。
⑩⑪からわかること：テニスをしたあとでも体を動かすといい。
⑫からわかること：二人はテニスを始める。ここまでは、テニスをするために準備運動をしていた。

◇「学生のとき以来だ」＝学生のときにテニスをしてから今までずっとテニスをしなかった。

21 ばん　正解 2

スクリプト（下線は p.62 の答え）

講演会で女の人が話しています。

F：仕事で失敗をすることはだれにでもあります。私は、①失敗をしたあとどうするかが大切だと思います。まず、失敗して迷惑をかけた②相手にあやまることが大切です。そして、二度と③同じ失敗をしないようにするにはどうしたらいいか④考えることです。失敗したことを反省してしっかりと⑤対応すれば、まわりの人もそれを⑥認めてくれるはずです。そのあとは、失敗したことを⑦悩まないでください。失敗を⑧大切な経験だと考えれば、その後の仕事に⑨役に立てることができるでしょう。

女の人は何が大切だと言っていますか。
1　仕事で失敗したときにどうあやまるか
2　仕事で失敗したときにどうするか
3　どうすれば仕事で失敗しないか
4　どうすれば迷惑をかけないか

ことば
「迷惑をかける」bother, trouble　添麻烦　폐를 끼치다
「相手」the other person　对手　상대
「二度と〜ない」never will do 〜　再也不〜了　두번다시 〜 않는다
「反省する」reflect on　反省　반성하다
「対応する」handle, correspond to　应付，对应　대응하다
「悩む」suffer　烦恼　고민하다
「役に立てる」make useful　对〜有帮助　도움이 되다

①からわかること：失敗をしたあとどんな行動をするかが大切だ。How you will act after you have failed is important.
重要的是失败以后采取什么行动。　실패한 후에 어떤 행동을 취하는지가 중요하다.

②③からわかること：迷惑をかけた相手にあやまることと同じ失敗をしないように考えることが大切だ。
Apologizing to the person you gave trouble to and trying not commit the same failure again are important.　和向添了麻烦的对方道歉一样，力求不失败的思考也很重要。　폐를 끼친 상대에게 사죄하는 것과 같은 실패를 하지 않도록 생각하는 것이 중요하다.

④⑤⑥からわかること：失敗をしたあとちゃんと行動すれば、みんながあなたを理解してくれる。If you behave properly after committing a failure, people will surely understand you.　失败后切实地行动的话，大家能够理解你的。　실패한 후에 착실하게 행동하면, 모두 너를 이해해 준다.

⑦⑧⑨からわかること：失敗したことを悩まないで大切

な経験だと考えたほうがいい。You should rather think it's a valuable experience than suffering that you failed. 不要为失败烦恼，把失败当作重要的经验来考虑。 실패한 것을 괴로워하지 말고 소중한 경험을 했다고 생각하는 편이 좋다．

第8回

22 ばん　正解 4

スクリプト（下線は p.63 の答え）

男の人が中学校で話しています。

M：みなさん、消費税を知っていますね。買い物をしたときに払う税金です。今、政府はこの消費税を①上げると言っています。しかし、消費税を上げることに反対している人は賛成の人の②2倍以上います。みなさんはどうですか。私は、税金を上げることは私たちの生活をよくするために③しかたがないことだと思っています。しかし、④反対の人がこんなに多くては、上げることはできません。政府は、税金を増やしたら生活がどのようによくなるのか、それをしっかり⑤国民に説明するべきです。消費税を上げる目的が理解できれば⑥反対する人は減るでしょう。

男の人は消費税を上げることについてどう思っていますか。

1　上げても生活はよくならない
2　早く上げなければいけない
3　上げるのに反対だ
4　反対の人を減らさなければいけない

ことば
「消費税」consumption tax　消费税　소비세
「税金」tax　税金　세금
「政府」government　政府　정부
「理解する」understand　理解　이해하다

💡
①②からわかること：消費税を上げるのに反対している人が多い。

③からわかること：男の人は「政府が生活をよくするために消費税を上げることはしかたがない」と思っている。The man thinks "it cannot be helped that the government raises the consumption tax in order to improve the living standard." 男士认为 "为了改善生活，提高消费税是不得已。 남자는 정부가 생활을 좋게 하기 위해 소비세를 올리는 것은 어쩔 수 없다고 생각하고 있다．

④⑤⑥からわかること：政府は国民に消費税を上げたら生活がどうよくなるかをしっかり説明して、反対する人を減らさなければいけない。The Government should explain hard to the citizens how the living standard will improve by raising the consumption tax, and decrease the number of people who oppose to this plan. 政府必须向国民说明，增加消费税后，生活如何得到改善，以减少反对者的人数。 정부는 국민에게 소비세를 올리면 생활이 어떻게 좋아지는지를 정확히 설명하고, 반대하는 사람을 줄여가야만 한다．

23 ばん　正解 3

スクリプト（下線は p.64 の答え）

男の人と女の人が話しています。

F：これがいいわ。①デザインも色もいいし。ね、どう？
M：ちょっと②タイヤが細すぎるんじゃない？
F：うん。最近のはみんなこれくらい細いのよ。
M：そうかあ。でも、細くて③速そうだけど、④倒れやすそうだ。危なくないのかな。
F：だいじょうぶ。これにしよう。
M：⑤荷物を入れるかごはいらないの？
F：うん。必要ならあとでつけるわ。

二人が見ている物は何ですか。

1　自動車
2　スーツケース
3　自転車
4　洋服

ことば
「デザイン」design　设计　디자인
「タイヤ」tire　轮子　타이어

💡
①②からわかること：二人が見ているものにはタイヤがついている。→自動車か自転車

③④⑤からわかること：速いけれど倒れそうな感じがするものだ。Something that runs fast but looks like it may fall easily. 虽然很快，但是感觉好像要倒下一样。 빠르지만 쓰러질 것같은 느낌이 든다．→自転車

⚠
◇「最近のは」＝最近の自転車は
◇「危なくないのかな」＝危ないと思う

24 ばん　正解 3

スクリプト（下線は p.65 の答え）

男の人が講演会で話しています。

F：先生、将来海外で仕事をしたいと思っている若者も多いと思いますが、海外で仕事をするときに大切なことはどんなことでしょうか。
M：そうですね。今までは、「世界で仕事ができる人は、①英語が話せる人だ」と言われてきました。しかし、実際に②その国へ行って仕事をする場合は、英語ができるだけではうまくいきません。③その国の言葉が話せる人が必要です。その国の言

葉で話せば、④相手の本当の気持ちを引き出すことができるからです。そのため、多くの会社が英語だけでなく⑤その国の言葉ができる社員を求めるようになりました。みなさん、これからは、自分の国の言葉、英語、そして、⑥自分が仕事をする国の言葉が必要です。

男の人は何が大切だと言っていますか。
1 英語が話せること
2 相手の気持ちを知ること
3 仕事をする国の言葉ができること
4 自分の国の言葉ができること

ことば
「実際に」 actually　実際上　실제로
「相手」 the other person　对方　상대
「引き出す」 elicit　引出　끄집어 내다
「社員」 company employee　公司职员　사원
「求める」 want, look for　想要、渴望、寻求　요구하다，바라다

💡
①からわかること：今までは世界で仕事をするには英語が話せることが必要だと言われていた。
②③④からわかること：実際にその国で仕事をするときは、その国の人の気持ちを知るために、その国の言葉が話せることが大切だ。
⑤⑥からわかること：世界で仕事をするためには、自分の国の言葉と英語だけでなく、自分が仕事をする国の言葉も話せることが必要だ。

⚠
◇「相手の本当の気持ちを引き出す」 elicit the other person's real feeling　引导对方（说出）真实的感受　상대방의 진정한 기분을 끌어내다

第9回
25 ばん　正解 2

スクリプト（下線は p.66 の答え）

男の人と女の人が話しています。

F：いやあ、すばらしい成績で勝ちましたね。優勝、おめでとうございます。キャプテンとして、いかがですか。
M：ありがとうございます。新しい監督に替わって、①新しい方法で練習をしてきましたし、海外から戻ってきた選手もすぐにその練習に慣れて②よくがんばってくれました。体調の悪い選手も③いませんでした。まあ、いい条件がそろったから④いい結果が出たとも言えるでしょう。⑤でも今回は、何と言っても、先に女子チームが優勝したので、「おれたちも優勝するぞ。」という⑥強い気持ちをチーム全員が持っていたんです。それが大きいと感じています。

男の人は何について話していますか。
1 新しい監督がいいこと
2 試合に勝った理由
3 新しい練習方法が良かったこと
4 いいチームの条件

ことば
「キャプテン」 captain　队长　캡틴
「監督」 director　教练　감독
「体調」 physical condition　身体状态　컨디션

💡
①②③：今回の試合のときの良かった点。
④からわかること：①②③のいい条件がそろったから勝つことができたという考えもある。It can be said that we could win because we had good conditions such as ①②③．也可以这样考虑：因为具备了①②③的好条件，所以能取胜。　①②③이 갖춰졌으니 이길 수 있었다고 생각할 수도 있다．
⑤からわかること：今回勝つことができたいちばん大きな理由は別のことだ。
⑥からわかること：チームの全員が「絶対優勝する」という強い気持ちを持っていたから勝つことができた。

⚠
◇「キャプテンとして、いかがですか」＝キャプテンの立場から見てどう思いますか。　As the captain, what do you think?　从队长的角度，你怎么看？　캡틴의 입장에서 어떻게 생각합니까？
◇「何と言っても」＝何よりも
◇「強い気持ちを持っていたことが大きい」＝強い気持ちをもっていたことが（勝つことができた）大きな理由だ

26 ばん　正解 3

スクリプト（下線は p.67 の答え）

会社で男の人と女の人が話しています。

M（上司）：田中君、だめじゃないか。ここの①数字が全然違うよ。ちゃんと②書き方がわかっていないんじゃないか。
F（田中）：はい。申し訳ありません。
M：どうして、君はいつも③人に相談しないんだ。④わからないことがあったり、⑤はっきりしないことがあったりしたら、私や山口君に⑥聞いてくれないと困るよ。結局、大変なことになるんだから。
F：はい。

男の人がいちばん言いたいことは何ですか。
1 数字をまちがえてはいけない
2 書き方をまちがえてはいけない
3 わからないことは人に聞かなければならない
4 自分と山口君は忙しくて大変だ

N3 解答

ことば
「数字(すうじ)」number　数字　숫자
「申(もう)し訳(わけ)ありません」＝すみません／ごめんなさい〈ていねいな言い方〉
「結局(けっきょく)」after all　最后, 结果　결국

💡
①からわかること：書類(しょるい)がまちがっている。
②③からわかること：書き方がわかっていないのに相談をしなかった。
④⑤⑥からわかること：わからないことがあったら相談しなければいけない。

⚠️
◇「数字が全然違う」＝（書類の）数字がまちがっている
◇「わかっていないんじゃないか」＝「わかっていないのではないか」＝わかっていないと思う。
◇「どうして、君はいつも人に相談しないんだ」＝人に相談しないでしてはいけないことが君はわからないのか。 You don't understand that you cannot do things without consulting with someone, do you?　难道你不知道不和别人商量就做是不允许的？　타인과 상담하지 않으면 안된다는 것을 너는 모르냐. ＝まわりの人に相談しなさい。
◇「結局(けっきょく)、大変(じゅうだい)なことになるんだから」＝重大(じゅうだい)な結果(けっか)になるのだから　because it will end up being a serious problem　因为会发生严重的结果　중대한 결과로 되어버리니까

27 ばん　正解 2

スクリプト（下線は p.68 の答え）

テレビ番組で男の人が話しています。

M：毎日寒(さむ)いですね。この季節(きせつ)はあまり窓(まど)を開(あ)けないので、①お部屋(へや)の空気(くうき)は汚(よご)れたままですね。こちらは、今の季節におすすめの商品(しょうひん)です。このボタンを押(お)すだけで、お部屋の空気の中のほこりなどの汚(よご)れを取って、②空気をきれいにしてくれるんです。窓を③開(あ)けなくてもいいので、お部屋は暖(あたた)かいまま。④においを消(け)す効果(こうか)もあるので、⑤犬やねこがいるうちにもおすすめです。そして、なんと⑥電気代(だい)が一日約(やく)3円！ これなら一日中つけていても⑦安心(あんしん)ですね。ご注文(ちゅうもん)はお電話で。電話番号(ばんごう)はこちらです！ ご注文、お待ちしています。

男の人が話している商品は何ですか。
1　部屋を暖(あたた)かくする電気製品(せいひん)
2　部屋の空気をきれいにする電気製品
3　犬やねこのにおいを消すための電気製品
4　簡単(かんたん)に掃除(そうじ)ができる電気製品

ことば
「おすすめ」to be recommended, good deal　推荐　추천
「ほこり」dust　灰尘　먼지
「汚(よご)れ」dirt, filth　脏　더러움
「効果(こうか)」effect　效果　효과
「注文(ちゅうもん)」order　订货　주문

💡
①②からわかること：この商品は部屋の空気をきれいにする。
③からわかること：窓を開けなくても部屋の空気がきれいになる。
④⑤からわかること：犬やねこのにおいも消す。
⑥⑦からわかること：電気代が安いから電気代を心配しなくてもよい。

第10回

28 ばん　正解 4

スクリプト（下線は p.69 の答え）

テレビで女の人が話しています。

F：ゲームセンターと言えば若者(わかもの)が集(あつ)まる場所ですが、最近①お年寄(としよ)りの姿(すがた)も見られるようになってきました。お年寄りに②人気(にんき)があるゲームは、同じ絵のカードをそろえる「スロットマシーン」や、動物の人形(にんぎょう)をハンマーでたたく「もぐらたたき」などだそうです。③ゲームを続(つづ)けることによってお年寄りの④体力(たいりょく)が上がったという調査結果(ちょうさけっか)もあります。⑤楽(たの)しく遊(あそ)べて、その上体力もつくゲームセンターを利用(りよう)するお年寄りはこれから⑥増(ふ)えそうです。

女の人はゲームセンターについてどう思っていますか。
1　お年寄りに合(あ)うゲームが足りない
2　お年寄りも若者も楽しめるゲームが必要(ひつよう)だ
3　若者が楽しめる場所ではなくなった
4　お年寄りが楽しめて元気になる場所になった

ことば
「ゲームセンター」game center　游戏房　게임센터
「お年寄(としよ)り」the elderly　老年人　노인, 노령자
「姿(すがた)」figure　身影　모습
「そろえる」collect　齐备　맞추다
「ハンマー」hammer　锤，榔头　망치
「体力(たいりょく)」physical power　体力　체력
「体力(たいりょく)が上(あ)がる」physical power gets strengthened　体力变得强壮　체력이 오르다
「調査(ちょうさ)」survey　调查　조사
「結果(けっか)」result　结果　효과
「体力(たいりょく)がつく」get physically stronger　增加体力　체력이 붙다

💡
①からわかること：ゲームセンターにお年寄りが来るようになった。
②からわかること：お年寄りはゲームを楽しんでいる。

③④からわかること：ゲームは体にもいい。
⑤⑥からわかること：ゲームセンターへ来るお年寄りはもっと多くなるだろう。
②③④⑤からわかること：ゲームセンターでお年寄りが元気になる。

⚠️
◇「ゲームセンターと言えば」＝ゲームセンターと聞いてすぐに思い浮かべるのは　what you think of first to hear a "game center" is …　听到游戏房立即想到的是　게임센터라고 듣고 바로 생각나는 것은

29 ばん　　正解 3
スクリプト（下線は p.70 の答え）
電話で男の人と女の人が話しています。
M（中村部長）：もしもし、おはよう。中村だけど。
F：①あ、部長、おはようございます。
M：②あのう、申し訳ないけど、ちょっと③遅れそうなんだ。
F：あ、電車の事故ですか。
M：いや、ちょっと④忘れ物をしてね。今、⑤家に取りに戻っているところなんだ。
F：そうなんですか。
M：⑥午後の会議で使う書類なんで、どうしても⑦取りに行かなければならなくて。それで、申し訳ないんだけど、9時半からの⑧ミーティングを10時からにしてもらいたいんだ。
F：はい、わかりました。
M：悪いけど、ほかの人たちにも⑨伝えておいてもらえないかな。
F：はい、お伝えします。
M：じゃ、よろしく頼むよ。

男の人が伝えたかったことは何ですか。
1 会議で使う書類を忘れたこと
2 ミーティングに出られないこと
3 ミーティングの時間を遅くすること
4 会議の時間を遅くすること

ことば
「部長」 department head　部长　부장
「書類」 documents, papers　文件　서류

💡
①②からわかること：男の人（中村部長）が電話をかけた。
③④⑤からわかること：男の人は忘れ物を取りに帰ったので、会社に行くのが遅くなる。
⑥⑦からわかること：忘れた物は午後の会議で使うものだから、どうしても取りに帰らなければならない。
⑧からわかること：朝のミーティングに間に合わないので、ミーティングの時間を変える。

⑨からわかること：男の人は、「ミーティングの時間を変えたことをほかの人に伝えてほしい」と言っている。The man says he wants the woman to tell others that the time of the meeting has been changed.　男士说："请向其他人转告会议的时间改变了。"　남자는 미팅시간이 변경된 사실을 다른 사람에게 전해달라고 말하고 있다.

⚠️
◇朝はミーティングをする。午後は会議をする。

30 ばん　　正解 4
スクリプト（下線は p.71 の答え）
男の人と女の人が話しています。
M（先輩）：よう、みんな、練習、①がんばってる？
F（後輩）：あ、②先輩、こんにちは。③お久しぶりです。どうぞ、こちらへ。
M：いや、すぐ帰るから。ちょっと図書館に本を返しに来たんだけど、掲示板に④コンサートのポスターがあったから……。
F：はい。⑤来週の土曜日なんです。
M：じゃあ、今は最後の仕上げだね。がんばれよ。
F：はい。先輩は、忙しいんですか。
M：ああ、文学部は⑥4年生になると論文を書かされるからね。
F：私もサークルに⑦夢中になれるのはやっぱり⑧今のうちなのかな。
M：うん、ぼくももう一度君たちと⑨いっしょに歌いたいよ。

男の人は何をしに来ましたか。
1 コンサートを聞きに来た
2 サークルに入るために来た
3 練習をしに来た
4 練習の様子を見に来た

ことば
「掲示板」 bulletin board　布告牌　게시판
「ポスター」 flyer, poster　招贴　포스터
「仕上げ」 finishing　精加工，最后完成　마무리
「論文」 thesis　论文　논문
「夢中になる」 be absorbed in …, be devoted to …　热衷　열중하다

💡
①からわかること：女の人たちは練習をしている。
②③からわかること：男の人は女の人の先輩で、久しぶりにここに来た。
④からわかること：男の人はコンサートのポスターを見たからここに来た。
④⑤からわかること：女の人たちは来週の土曜日にコンサートをする。
⑥からわかること：男の人は大学4年生で、忙しいから

サークルに出られない。
⑦⑧からわかること：女の人も大学生で、サークル活動(かつどう)をしている。まだ4年生ではない。
⑨からわかること：このサークルは歌を歌うサークルである。

⚠️
◇「4年生になると論文を書かされる」＝4年生になると論文を書かなければならない。
◇「今のうちなのかな」＝（4年になると忙しいから）今だけかもしれない。

発話表現

第1回

1ばん　正解2

スクリプト
会社にお客さんが来ましたが、忙しかったので少し待ってもらいました。お客さんに何と言いますか。
F：1　こちらで待っていましょうか。
　　2　お待たせして、すみません。
　　3　こちらで待たせていただきます。

ことば
「待たせていただきます」＝（私は）待ちます〈謙譲表現 humble expression 谦让表现 겸양표현〉

2ばん　正解1

スクリプト
大学で、友だちにノートを借りたいです。何と言いますか。
M：1　ノート、貸してもらえないかな。
　　2　ノート、貸してあげるよ。
　　3　ノート、貸していいですか。

ことば
「～（し）てもらえないかな」：友だちや家族などに「～（し）てください」と頼むときの言い方。「かな」は遠慮の気持ちを表す。「悪いけど」という気持ちを込めた言い方。used when asking a friend or a family member to do something. "kana" at the end implies hesitation like "I hate to ask you, but …" 向朋友或家人委托"请做～"时的说法。"かな"表示客气的心情。是表示非常"不好意思"的表现。 친구나 가족에게「～ 해 주세요」라고 부탁할 때 사용하는 표현.「かな」는 조심스러운 기분을 나타낸다.「미안하지만」이라는 기분이 포함된 표현.
例：A「暑いね。窓を開けてもらえないかな」
　　B「ああ、いいよ」

3ばん　正解3

スクリプト
先生の家で食事をいただきました。帰るとき、お礼を言いたいです。何と言いますか。
M：1　たいへんよくできました。
　　2　よろしかったですね。
　　3　ごちそうさまでした。

ことば
「ごちそうさまでした」：①一般に、食事が終わったときに言うあいさつの言葉。generally used as a greeting which is said when one finished a meal 一般是餐后用的寒暄语。 일반적으로 식사가 끝났을 때 하는 인삿말. ②人の家やレストランで食事をふるまわれたとき、お礼の気持ちを込めて言う。used to express thanks when treated to dinner at someone's home or a restaurant 在他人家里或者餐厅里被请客吃饭后，衷心表示感谢时说的话。 타인의 집 혹은 레스토랑에서 식사 대접을 받았을 때, 감사의 마음을 담아 나타내는 표현.

4ばん　正解1

スクリプト
お年寄りが大きな荷物を持って階段を上っています。荷物を持ってあげたいです。何と言いますか。
M：1　重そうですね。お持ちしましょうか（↗）。
　　2　重いでしょう。持ってもらいましょう。
　　3　重いですから、私が持ちましょう。

ことば
「お／ご～（し）ましょうか」：相手のために何かすることを提案するときの言い方。 used when offering to do something for someone 提议为对方做某事时的说法。 상대방을 위해 무언가를 제안할 때 사용하는 표현.
例：A「駅まで車でお送りしましょうか」
　　B「ありがとうございます。じゃあ、お願いします」

第2回

5ばん　正解3

スクリプト
家に招待したお客さんが来ました。家の人は何と言いますか。
M：1　失礼します。
　　2　おじゃまします。
　　3　よくいらっしゃいました。

ことば
「招待する」invite 招待 초대하다
「よくいらっしゃいました」＝来てくださってありがとうございます：人を歓迎するときの表現。 expression used when welcoming somebody's visit 欢迎某人时的表现。 사람을 환영할 때 쓰는 표현.

6ばん　正解3

スクリプト
先生に勉強の相談をします。最初に何と言えばいいですか。
M：1　先生、ご相談なさってくださいませんか。
　　2　先生、相談していただけないでしょうか。
　　3　先生、ご相談したいことがあるんですが。

ことば
「ご相談したいことがあるんですが」：「（あなたに）相談したいことがあります」のていねいな言い方。目上の人に何か相談するときに、はじめに言う。文末の「が」は、発話を柔らかく、ていねいにする。 polite way of saying "（あなたに）相談したいことがあります (I would like to consult with you about something.)" and is said at the beginning when

consulting with one's superior about something. " が " is attached at the end to soften and make polite one's utterance. 是"（あなたに）相談したいことがあります（有事和你商量）"的恭敬的说法。在和长辈、上司开始商量时说。句尾的「が」，使这一表达形式柔和而恭敬。「（あなたに）相談したいことがあります（（당신에게）상담하고 싶은 내용이 있습니다）」의 정중한 표현．윗사람에게 무언가를 상담할때，처음 꺼내는 말．문장끝에 있는「が」는，이야기의 시작을 부드럽게，정중하게 해준다．

7ばん　正解1

スクリプト
今日は午後歯医者へ行くので、早く帰りたいです。上司に何と言いますか。
M：1　今日は早く帰らせていただきたいんですが。
　　2　今日は早く帰らせますが、よろしいですか。
　　3　今日は早く帰りましょうか。

ことば
「上司」one's superior/boss　上司　상사
「帰らせていただきたいんですが」＝帰りたいです〈謙譲表現 humble expression 谦让表现　겸양표현〉

8ばん　正解2

スクリプト
切符を買う機械の前で困っている人がいます。何と言いますか。
F：1　どうしたらいいですか。
　　2　どうなさいましたか。
　　3　どうしましょう。

ことば
「どうなさいましたか」：「どうしましたか」のていねいな言い方。相手の困っている様子や何か問題がある様子を見て、何があったのかを尋ねると同時に、助けてあげたい気持ちを伝える表現。 A polite way of saying "どうしましたか (What's the problem/matter?)." Expression used when one sees someone in trouble and asks what happened, then wants to offer help. 是"どうしましたか（怎么了？）"的恭敬的说法。看到对方有困难或碰到问题时，问对方遇到什么（情况）的同时，向对方传达想帮助的心情。「どうしましたか（무슨일이 있었습니까）」의 정중한 표현．상대방이 곤란해 하거나，무언가 문제가 있어 보일때，무엇이 있었는지를 물어봄과 동시에 돕고 싶다라는 마음을 전하는 표현．

第3回

9ばん　正解3

スクリプト
これから会議で説明をします。最初に何と言いますか。
F：1　では、これからご説明が始まります。
　　2　では、これからご説明してもだいじょうぶですか。
　　3　では、これからご説明いたします。

ことば
「お／ご～いたします」：「（私があなたのために）～します」のていねいな言い方。
例：A「すみません。営業部はどちらですか」
　　B「営業部ですね。ちょっとわかりにくいところですから、ご案内いたします。どうぞ、こちらへ」
　　A「あ、ありがとうございます」

A "Excuse me, where is the Sales Department?"
B "Sales Department? OK. The location is a little complicated, so let me take you there. Come this way, please."
A "Oh, thank you very much."

A "对不起，营业部在哪里？"
B "营业部吗？不太好找，我领你去。这边请。"
A "哦，谢谢。"

A "죄송합니다만，영업부는 어디에 있습니까？"
B "영업부요．좀 찾기 어려운 곳에 있으니，안내해 드리겠습니다．자，이쪽으로 오세요．"
A "네，감사합니다．"

例：A「あのう、振込先の口座番号がわからないんですが」
　　B「はい、お調べいたしますので、しばらくお待ちください」

A "Excuse me, I don't have the account number that I need to transfer money to …"
B "All right, I will check it for you, sir. Will you wait a minute, please?"

A "嗯，不知道想存入的对方的帐户号码。"
B "好的，我来查一下。请稍等。"

A "저기，송금 구좌번호를 모릅니다만．"
B "네，알아보겠습니다．조금만 기다려 주세요．"

10ばん　正解1

スクリプト
クラスのみんなで海に行きます。先生も誘いたいです。先生に何と言いますか。
M：1　先生もいらっしゃいませんか。
　　2　先生もいっしょに行きたいですか。
　　3　先生も行ったらどうですか。

ことば
「いらっしゃいませんか」＝行きませんか〈尊敬表現 honorific 尊敬表现　존경표현〉
例：「今晩、飲み会をしますが、部長もいらっしゃいませんか」
「行ったらどうですか」＝行ったほうがいいですよ：アドバイスするとき、すすめるときの表現。

11ばん　正解2

スクリプト
銀行で係の人に聞きたいことがあります。何と言いますか。
M：1　すみません。ちょっと知らないんです。
　　2　すみません。ちょっと教えてください。
　　3　すみません。ちょっと聞きませんか。

ことば

「ちょっと教えてください」：わからないことを人に聞きたいときに、はじめに言う表現。 said at the beginning when asking someone a question　有不明白的事询问他人的时候，发话时的表现． 잘 모르는 내용을 남한테 물어볼때，처음 말하는 표현．
相手が目上の場合は「ちょっと教えていただきたいんですが」「ちょっと教えていただけませんでしょうか」などと言う。 When asking a question of your superior, say 「ちょっと教えていただきたいんですが」「ちょっと教えていただけませんでしょうか」etc.　在对方是上司，前辈时，用「ちょっと教えていただきたいんですが」（我想请教一下。）「ちょっと教えていただけませんでしょうか」（能请教一下吗？）等表达方式． 상대가 윗사람일 경우는「ちょっと教えていただきたいんですが（조금 가르쳐주셨으면 합니다만）」「ちょっと教えていただけませんでしょうか（좀 가르쳐시지 않으시겠습니까）」라고 얘기한다．

12 ばん　正解 1

スクリプト

おもしろい本を読みました。友だちにすすめたいです。何と言いますか。
M： 1　この本、おもしろいよ。読んでみない？
　　 2　この本、おもしろいから、読みなさい。
　　 3　この本、おもしろかったから、読もう。

ことば

「～（し）てみない？」：人に何かをしてみるようにすすめたり、誘ったりするときの表現。　used when suggesting doing something or inviting someone to do something　劝诱他人尝试做某事时的表现． 타인에게 무언가를 해보라고 추천하거나，권할 때 사용하는 표현．
例：A「このお菓子、変わった味がするよ。食べてみない？」
　　B「へえ、めずらしいお菓子だね。食べてみよう。いただきます」

N3解答

即時応答

第1回

1ばん　正解1

スクリプト
M：今日、学校で先生にほめられたよ。
F：1　あら、よかったじゃない。
　　2　あら、あら、何やってるの。
　　3　それなら、たぶんいいでしょうね。

ポイント
M＝「今日、学校で先生がぼくをほめた」
場面：女の人（男の人の家族）は男の人が学校で先生にほめられたと聞いて、喜んだ。　The woman (the man's family member) was glad to hear that he was praised by his teacher at school today.　女士（男士的家族）听到男士在学校被老师表扬，非常高兴。　여자（남자의 가족）는 남자가 학교에서 선생님께 칭찬받았다는 얘기를 듣고, 기뻐했다.

⚠
◇「よかったじゃない」＝よかった〈強調表現 emphasis 强调表现　강조표현〉
◇2の例：「あ、まちがえた」／「あ、失敗した」／「あ、だめだ」－「あら、あら、何やってるの」
◇3の例：「じゃあ、これはどう？」－「それなら、たぶんいいでしょうね」

2ばん　正解3

スクリプト
F：どうぞこちらにおかけください。
M：1　どうぞご遠慮なく。
　　2　はい、おかげさまで。
　　3　では、失礼します。

ポイント
F＝「どうぞこのいすにすわってください」
M＝「はい。では、そうします」＝すわります

ことば
「かける」＝(この会話での意味)腰をかける＝いすにすわる
「ご遠慮なく」＝遠慮しないでください
「失礼します」(この会話での意味) Thank you very much.　失礼了.　실례하겠습니다.

⚠
◇1の例：「この本、ちょっと見てもいいですか」－「どうぞご遠慮なく」
◇2の例：「お元気そうですね」／「試験に合格してよかったですね」I am happy for you that you have passed the exam. 考试及格了，太好了. 시험에 합격해서 다행이에요. －「はい、おかげさまで」

3ばん　正解3

スクリプト
M：あ、中村さんじゃない（↗）。久しぶりだね。
F：1　いいえ、山本さんです。
　　2　久しぶりではありません。
　　3　大変ごぶさたしております。

ポイント
M＝「あ、中村さん、しばらく会わなかったね」
F（中村さん）＝「長い間連絡しないで、失礼しました」
I'm sorry I haven't contacted you for so long.　很长时间没有和你联系，失礼了. 오랫동안 연락하지 못해, 실례했습니다.
場面：男の人が女の人に気がついて声をかけた。二人が会ったのは久しぶりだった。

ことば
「久しぶりだ」It's been a long time.　好久，许久　오래간만이다

⚠
◇「ごぶさたしております」：相手に長い間連絡をしなかったときに言う表現。expression used when a person has not seen/talked to someone for a long time　和对方很长时间没有联系时用的表现。 상대방에게 오랫동안 연락하지 않았을 때 사용하는 표현.

4ばん　正解2

スクリプト
F：しまった。違う電車に乗っちゃったね。
M：1　うん、次の電車に乗ろう。
　　2　うん、次の駅で降りよう。
　　3　うん、次の電車を待とう。

ポイント
F＝「私たちは電車を間違えてしまった」
場面：二人は電車の中にいる。違う電車に乗ってしまったので、早く降りたほうがいい。The two are on a train. They have taken the wrong train, so they should get off soon.　两个人在电车中。乘错了电车，早点下车好。두 사람은 전차 안에 있다. 전철을 잘못 타버렸기 때문에, 빨리 내리는 편이 좋다.

⚠
◇「しまった」：ミスや失敗をしたときに言う表現。used when a person has made a mistake or committed a failure　当出错误或失败时所用的表现。실수나 실패를 했을 때 사용하는 표현.

5ばん　正解3

スクリプト
M：その仕事は、ぼくに任せてください。
F：1　じゃ、いっしょにがんばりましょう。
　　2　はい、そうですね。そうします。
　　3　そうですか。お願いしてもいいですか。

ポイント
M＝「その仕事は、私が一人でやります」
F＝「じゃ、お願いします」

ことば

「任せる」 leave some task to someone　托付，交给　맡기다

⚠
◇「ぼくに任せてください」＝ぼくにやらせてください
　＝ぼくがやりたいです
◇1の例：「この仕事はいっしょにやったほうがいいと思います」－「じゃ、いっしょにがんばりましょう」
◇2の例：「一人でやらないで、だれかといっしょにやったらどうですか」－「はい、そうですね。そうします」

6ばん　正解1

スクリプト
F：今夜の山田さんの送別会、出るでしょ？
M：1 うん、そのつもり。
　　2 ああ、そうか。
　　3 ああ、そうしてくれ。

ポイント
F＝「あなたは、今夜の山田さんの送別会に出席しますね」
M＝「はい、行くつもりです」

ことば
「送別会」 farewell party　欢送会，送别会　송별회

⚠
◇3の例：（秘書）「今、お忙しそうですね。ご報告がありますけど、あとにしましょうか」－「ああ、そうしてくれ」

7ばん　正解2

スクリプト
F：あ、あそこに黒い雲が。雨が降りそうですね。
M：1 ええ、ずいぶん降りましたよ。
　　2 ええ。あ、かさ持ってきましたか。
　　3 ええ、早くやんでくれないかなあ。

ポイント
F＝「あそこに黒い雲が見えます。雨が降り始めるかもしれません」
M＝「本当に雨が降りそうですね。あなたは、かさを持っていますか」
場面：今はまだ雨が降っていないが、二人は空を見て、雲の様子からもうすぐ降り始めることを予想している。 It is not raining now yet, but the two look at the clouds in the sky and expect it will start raining soon. 现在还没有下雨，两个人看了一下天空，从云的样子来看，能预料马上要下雨了。 지금은 아직 비가 오지 않지만, 두사람은 하늘을 보고, 구름 상태로 봐서 곧 내리기 시작할 것이라고 예상하고 있다.

⚠
◇「かさ持ってきましたか」＝今、かさを持っていますか

8ばん　正解2

スクリプト
M：あのう、さっきからずっと待ってるんですけど……。
F：1 お疲れさまでした。
　　2 申し訳ありません。
　　3 かしこまりました。

ポイント
M＝「長い間待っていますが、まだですか」
F＝「お待たせして、すみません」

⚠
◇「お疲れさまでした」：仕事など、なにか大変なことが終わったときに言う表現。　said to someone who has just finished work or something difficult　工作等非常艰难的事结束后所用的表现。　업무와 같이, 어떤 힘든일이 끝났을 때 사용하는 표현.
◇「申し訳ありません」＝すみません／ごめんなさい：ていねいに謝るときの表現。
◇「かしこまりました」：相手の命令や指示を受けて「はい、わかりました」と言うときの表現。 used when a person receives a command or direction from another person, meaning "Certainly, Sir/Ma'am." 接受对方的命令，指示，表示"是，明白了。"的表现。 상대방의 명령이나 지시를 받고 「네, 알겠습니다」라고 말할 때 쓰는 표현.

9ばん　正解3

スクリプト
F：あ～あ、また失敗しちゃった。
M：1 そうですか。承知しました。
　　2 よくがんばったね。
　　3 そんなに気にするな。

ポイント
F＝「また失敗をしてしまった」
M＝「あまり心配しなくてもいい」
場面：男の人は女の人を慰めた。 The man has cheered up the woman. 男士安慰了女士。 남자는 여자를 위로했다.

第2回

10ばん　正解3

スクリプト
F：あのう、今、ちょっとよろしいでしょうか。
M：1 さあ、どうでしょうねえ。
　　2 はい、どうぞよろしく。
　　3 ええ、かまいませんよ。

ポイント
F＝「あなたと話したいのですが、今、だいじょうぶですか」
M＝「ええ、だいじょうぶですよ」

N3解答

11 ばん　正解 2

スクリプト
M：この部屋、散らかってるなあ。
F：1　はい。掃除したばかりですから。
　　2　あ、すぐ片づけます。
　　3　さあ、どうぞお入りください。

ポイント
M＝「この部屋は散らかっていて、汚い」
場面：男の人は、女の人の上司や父親など上の立場の人。男の人は、「片づけたほうがいい／片づけなさい」とはっきりは言っていないが、そのような意向が感じられる。The man is the woman's superior like her boss or father. He is not saying "You should clean up" bluntly to her, but such intention is implied. 男士是女士的上司，父亲等身份的人。虽然男士没有说："最好打扫一下／请打扫一下。"，但能感到这样的意向。 남자는 여자의 상사나 아버지와 같은 윗사람. 남자는 치우는게 좋겠다／치워라 라고 분명히 말하지는 않지만, 그러한 의향이 느껴진다.

ことば
「散らかっている」 be in a mess, not tidy　散乱着　어질러져 있다
「片づける」 clean up　整理，打扫　치우다，정돈하다

⚠
◇1の例：「この部屋、きれいですね」－「はい。掃除したばかりですから」

12 ばん　正解 2

スクリプト
F：明日、書類を持ってくるのを忘れないように。
M：1　では、そうします。
　　2　はい、わかりました。
　　3　はい、いいでしょう。

ポイント
F＝「明日、書類を必ず持ってきてください」

⚠
◇「忘れないように」＝忘れないようにしてください
　　＝忘れないでください

13 ばん　正解 3

スクリプト
M：これから一杯飲みに行きませんか。
F：1　はい、行きません。
　　2　あ、もう一杯、お願いします。
　　3　すみません。今日はちょっと。

ポイント
M＝「今から酒を飲みに行きませんか」
F＝「今日は都合が悪いので、行けません」
場面：男の人が女の人を誘ったが、女の人は断った。The man suggested going for a drink, but the woman declined. 男士邀请了女士，但是女士拒绝了。 남자는 여자를 (마시러 가자고) 권했지만, 여자는 거절했다.

⚠
◇「ちょっと」＝都合が悪い／問題がある／あまりよくない be inconvenient / have a problem / not good 不方便／有問題／不太好 사정이 여의치 않다／문제가 있다／그다지 좋지 않다

14 ばん　正解 1

スクリプト
F：お店の場所なら、インターネットで調べたら？
M：1　うん、そうしよう。
　　2　いや、そんなことはないよ。
　　3　えっ、わかったの？

ポイント
F＝「そのお店がどこにあるかは、インターネットで調べればわかるでしょう」
M＝「インターネットで調べよう」

⚠
◇「調べたら？」：調べたらいいでしょう／調べたらどうですか：アドバイスの表現。 used when giving advice （提出）建议的表现。 충고，조언의 표현.

15 ばん　正解 2

スクリプト
M：なんだか顔色がよくないみたいだけど……。
F：1　それは心配だね。
　　2　ちょっと風邪気味で。
　　3　何かあったの？。

ポイント
M＝「あなたの顔色が少し悪い。どうしたの？」

⚠
◇「なんだか〜」＝少し〜と感じる seems a little like 〜 有点儿〜的感觉　조금〜 라고 느끼다
◇「風邪気味だ」＝ちょっと風邪を引いたような感じだ feel a little like I have caught a cold 好像有一点感冒了的感觉　조금 감기걸린것 같은 느낌이 든다
◇1の例：「最近いつも頭が痛いんだ」／「父が入院したんだ」－「それは心配だね」
◇3の例：「ああ、もう会社やめたいな」－「何かあったの？」

16 ばん　正解 2

スクリプト
F：何かご伝言があれば、うかがいますが。
M：1　はい。どうぞお話しください。
　　2　では、また電話するとお伝えください。
　　3　はい。かしこまりました。

ポイント
F＝「何か伝言がありますか。あれば、どうぞ」
M＝「『また電話する』と言ってください」
場面：男の人が電話で話したい人がいなかった。それで、女の人は「その人への伝言があればどうぞ言ってください」と言った。男の人は、「あとでまた電話する」という伝言を女の人に頼んだ。 The person the man wanted to talk to on the phone was not available. The woman said "If you want to leave a message, I can take it." He left her a message that he would call again later. 男士想打电话(给)的那个人不在。所以，女士说："如果有话转告给那个人的话请说。男士让女士传话："等会儿再打电话。" 남자가 전화로 얘기하고 싶은 사람이 없었다. 그래서 여자는 그 사람에게 전하고 싶은 내용이 있으시면 말씀하세요 라고 얘기했다. 남자는 나중에 또 전화하겠다 라는 메세지를 여자에게 전해달라고 부탁했다.

ことば
「伝言」 message 传话 전언, 메세지
「伝える」 give a message, tell 转告 전하다

⚠
◇1の例：「話してもいいですか」－「はい。どうぞお話しください」
◇3の例：「伝言をお願いしたいのですが」－「はい。かしこまりました」

17 ばん　正解 1
スクリプト
M：試験、うまくいったの？
F：1 まあまあだった。
　　2 難しい試験でしょうね。
　　3 さあ、知らないわ。

ポイント
M＝「(あなたは)試験、よくできた？」
F＝「わりあいによくできた。悪くなかった」

ことば
「うまくいく」 go well 做得好 잘 되다

18 ばん　正解 2
スクリプト
F：これ、よかったら召し上がってください。
M：1 おいしかったよ。ごちそうさま。
　　2 おいしそう。いただきます。
　　3 これ、おいしいねえ。

ポイント
F＝「これをどうぞ食べてください」
場面：女の人は男の人に食べ物をすすめた。男の人はそれをこれから食べるところだ。 The woman offered the man some food and he is going to eat it. 女士向男士推荐食物。男士正好马上就要吃这种食物了。 여자가 남자에게 음식을 권했다. 남자는 그것을 지금부터 먹으려고 한다.

第3回
19 ばん　正解 1
スクリプト
F：ねえ、あそこのあれ、何ていう花？
M：1 ええと、何だっけ。
　　2 あ、花にさわっちゃだめだよ。
　　3 あれがいいんじゃないかな。

ポイント
F＝「あそこにある花の名前を教えてください」
M＝「名前が思い出せません」
場面：二人は向こうにある花を見ている。男の人は女の人に聞かれた花の名前を思い出そうとしている。 The two are looking at the flowers in the distance. The man is trying to remember the name of the flower that she asked him. 两人人在看着对面的花儿。男士在尽力回想起被女士问起的花儿的名字。 두 사람은 저쪽에 있는 꽃을 보고 있다. 남자는 여자가 물어본 꽃이름을 생각해 내려고 하고 있다.

⚠
◇「何／だれ／どこ／いつ だっけ」＝忘れたことを思い出そうとするときの表現。 used when trying to remember something 尽力回忆起忘记的事情时的表现。 잊어버린 것을 생각해 내려고 할때 사용하는 표현.
◇2の例：「この花、きれいね」／「この花、折ってもいいですか」－「あ、花にさわっちゃだめだよ」
◇3の例：「あれがいいかしら」／「どれがいいでしょうか」－「あれがいいんじゃないかな」

20 ばん　正解 2
スクリプト
M：この書類、今日中にできないかなあ。頼むよ。
F：1 はい、今日中にお願いします。
　　2 ええっ？今日中ですか。
　　3 はい、今日中にはできません。

ポイント
M＝「この書類を今日中に作ってほしい」
F＝「そんなに早く作るのは難しい」
場面：会社で上司が部下に急な仕事を頼んでいる。 In a company, a boss is telling his subordinate to do some work urgently. 公司里上司在向部下布置紧急的工作。 회사에서 상사가 부하에게 급히 일을 부탁하고 있다.

ことば
「書類」 papers, documents 文件 서류

⚠
◇「今日中に」と言われたので、女の人はびっくりしている。でも、「できません」とは言っていない。The woman is surprised because she was told to do it "within today" but she

55

is not saying "I cannot."　被告知要"在今天（完成）"，女士感到吃惊。但是没有说"不行"。오늘중으로 라고 얘기를 들어서, 여자는 깜짝 놀랐다. 그렇지만 못합니다 라고는 말하지 않았다.

21ばん　正解2

スクリプト
F：狭いところですが、どうぞお上がりください。
M：1 はい、おかげさまで。
　　2 はい、おじゃまします。
　　3 はい、またどうぞ。

ポイント
F＝「狭い家ですが、どうぞ中に入ってください」
場面：男の人が女の人の家に来た。玄関で、女の人は部屋の中に入るようにすすめた。男の人は入ろうとしている。The man came to the woman's house. At the entrance she invited him inside. The man is going to enter.　男士来到女士的家。女士建议男士进屋子。男士准备进去。　남자가 여자 집에 왔다. 현관에서 여자는 집으로 들어오라고 권했다. 남자는 들어가려고 하고 있다.

ことば
「おじゃまする」＝訪問する visit 访问 방문하다：「おじゃまします」は、人の家に入るときに言うあいさつの言葉としても使われる。「おじゃまします」is also used when one enters somebody's house as a greeting.　「おじゃまします（打扰您）」也被用作进入别人家里时的应酬语。　「おじゃまします(실례하겠습니다)」는 남의 집에 들어갈 때 하는 인삿말로 사용된다.

⚠
◇1の例：「病気が早く治って、よかったですね」／「仕事がうまくいって、よかったね」－「はい、おかげさまで」
◇3の例：「またおじゃましてもいいですか」－「はい、またどうぞ」

22ばん　正解3

スクリプト
F：あら、何かいいことあったみたいね。
M：1 えっ、どこにあった？
　　2 えっ？　何があったの。
　　3 うん、ちょっとね。

ポイント
F＝「あなたに何かいいことがあったようだ」
M＝「そう。ちょっといいことがあった」
場面：女の人には男の人のうれしそうな表情や様子が見えた。The woman could see his happiness from his expression and appearance.　女士察觉到男士的高兴的表情。　여자는 남자의 기뻐하는 표정이나 모습이 보였다.

⚠
◇1の例：「さがしていた鍵、あったよ」－「えっ？どこにあった？」
◇2の例：「ちょっといいことがあったよ」／「困った。どうしよう」－「えっ？　何があったの」

23ばん　正解1

スクリプト
M：長い間たいへんお世話になりました。
F：1 こちらこそ。どうぞお元気で。
　　2 はい、明日もがんばりましょう。
　　3 それはよかったですね。

ポイント
M＝「長い間いろいろ親切にしてくださって、ありがとうございました」
F＝「私もあなたにはお世話になりました。これからも元気でいてください」
場面：男の人は、ずっといっしょに仕事をしていた人、近所に住んでいた人など、今まで関係の深かった人と別れる。たぶんもう会えないので、別れのあいさつをしている。The man is going away from a person he has interacted with intensively, such as someone with whom he has worked for a long time, or a neighbor. He may not see her again and is saying good-bye to her.　男士在向一直一起工作的人, 住在附近的人等到现在为止有很深关系的人们告别。大概不会再见面了, 在作告别的寒暄。　남자는 함께 일했던 사람, 혹은 근처에서 살았던 사람등, 지금까지 관계가 깊었던 사람과 헤어진다. 아마 더이상 만나지 못하므로, 작별 인사를 하고 있다.

24ばん　正解2

スクリプト
F：上田さん、お子さんが亡くなったんですって。
M：1 それはご心配でしょう。
　　2 それはお気の毒に。
　　3 それは困りましたね。

ポイント
F＝「上田さんの子どもが死んだそうだ」

⚠
◇「お気の毒に」＝悲しいでしょうね／かわいそうに：人の不幸や苦痛に対して自分の同情を表す表現。used to express one's sympathy for somebody's misfortune or suffering　对于他人的不幸和痛苦表示自己的同情的表现。　남의 불행이나 고통에 대해 자신의 동정을 나타낼때 사용하는 표현.

25ばん　正解2

スクリプト
M：今日は、ぼくがごちそうするよ。
F：1 どうぞご遠慮なく。
　　2 それはどうも。
　　3 手伝いましょうか。

ポイント
M＝「今日の食事代は私が払う」I will pay for today's dinner.
今天的饭钱我来付。 오늘 밥값은 내가 지불한다．
F＝「どうもありがとう」
ことば
「ごちそうする」treat 请客 한턱내다, 식사를 대접하다
「ご遠慮なく」＝遠慮しないでください

⚠ 1の例：「すみません。お先に食事に行きますが……」
「どうぞご遠慮なく」

26 ばん　　正解 1
スクリプト
F：ああ、腹が立つ。
M：1 何をそんなに怒ってるんだ（↘）。
　　2 じゃあ、これ食べる？
　　3 じゃ、おなかの薬、飲んだら？
ポイント
F＝「今私はとても怒っている。とても不愉快だ」I am very angry now and feel disgusted. 现在我很生气。很不高兴。지금 나는 매우 화가 나 있다．매우 불쾌하다．
M＝「どうしてそんなに怒っているのか」
場面：女の人はとても怒っている。男の人は、その理由を聞いている。

⚠ ◇「腹が立つ」＝怒っている（「私は怒っている」と言わないで「（私は）腹が立つ」と言う。）

27 ばん　　正解 2
スクリプト
F：あ、課長、もうこんな時間ですよ、だいじょうぶですか。
M：1 よかった、間に合って。
　　2 あ、ほんとだ。急いで行かないと。
　　3 だいじょうぶだよ。もうこんな時間だから。
ポイント
F＝「もう行ったほうがいいですよ」
M＝「本当にそうだ。すぐに行かなければならない」
場面：女の人は、時計を見ながら課長に「もう時間だ」と知らせた。Looking at her watch, the woman let the section chief know that it's time for him to go. 女士一边看钟，一边告诉科科长："到时间了。" 여자는 시계를 보며 과장에게 "이제 시간이 다 되었다"라고 알렸다．

⚠ ◇「もうこんな時間」＝もうこんなに遅い時間

第 4 回
28 ばん　　正解 2
スクリプト
F：じゃあ、そろそろ失礼します。
M：1 いや、だいじょうぶだ。
　　2 え、もう帰るの？
　　3 心配しなくていいよ。
ポイント
F＝「もう時間ですから、帰ります」
M＝「帰らないで、まだここにいてください」

⚠ ◇「そろそろ〜」＝〜の時間が近い it's about time for 〜
〜的时间近了　〜시간이 가까워졌다
◇「失礼します」＝(この会話での意味) 帰ります／行きます

29 ばん　　正解 3
スクリプト
M：あのう、ちょっと頼みにくいことなんだけど……。
F：1 ねえ、どうしましょうか（↘）。
　　2 頼んでみたらいいですよ。
　　3 え、何でしょうか（↘）。
ポイント
M＝「お願いするのは悪いと思うけど、でも、お願いしたい」
場面：男の人は、女の人に何か頼みたいと遠慮しながら伝えた。The man hesitantly asked a favor of the woman. 男士很客气地告诉女士有事拜托。 남자는 여자에게 무언가 부탁하고 싶다고 조심스럽게 전했다．

⚠ ◇ 2の例：「あの人に頼んでみようか。どうしようか」／「頼んだら、あの人やってくれるかなあ」－「頼んでみたらいいですよ」

30 ばん　　正解 1
スクリプト
F：ずいぶん忙しそうね。
M：1 うん。手伝ってくれない？
　　2 じゃあ、気をつけて。
　　3 え？まだ仕事終わらないの？
ポイント
F＝「あなたはとても忙しそうだ」
M＝「忙しいので、手伝ってください」

⚠ ◇「気をつけて」：人と別れるときに言う表現。used when parting from someone 和他人告别时用的表现。 타인과 작별할 때 사용하는 표현．
◇ 3の例：「私はまだ帰れません」－「え？まだ仕事終わらないの？」

31 ばん　正解 1

スクリプト
M：こちらでは、たばこはご遠慮ください。
F：1　え？ここ、だめなんですか。
　　2　では、ここでいただきます。
　　3　いいえ、どうぞご遠慮なく。

ポイント
M＝「ここでたばこを吸わないでください」
F＝「ここでは、たばこを吸ってはいけないんですか。知りませんでした」

⚠
◇「ご遠慮ください」＝しないでください／してはいけません
◇2の例：「お食事は、どこでも好きなところで、どうぞ」－「では、ここでいただきます」
◇3の例：「ここでたばこは吸えませんね」－「いいえ、どうぞご遠慮なく」

32 ばん　正解 2

スクリプト
F：ああ、もうがっかりしちゃった。
M：1　うん、これで安心だ。
　　2　まあ、元気出して。
　　3　へえ、そうなんですか（↗）。

ポイント
F＝「とても残念だ」
M＝「そんなことを言わないで、がんばってください」
場面：女の人に何か残念なこと、失望すること、落胆することがあった。男の人は女の人をなぐさめ、はげました。The woman was upset, disappointed or discouraged by something that happened to her. The man comforted and cheered her up. 女士碰到了一些遺憾的事、失望的事、沮喪的事。男士在安慰和鼓励女士。 여자에게 애석한 일、실망스러운 일、낙담스러운 일이 있었다. 남자는 여자를 위로하고 격려했다.

ことば
「がっかりする」be disappointed　頹喪、失望　실망하다、맥이 빠지다

⚠
◇「もう～（し）ちゃった」〈強調表現 emphasis 強調表現　강조표현〉 例：「もう、びっくりしちゃった」＝とても驚いた
◇1の例：「新しいかぎを付けました」－「うん、これで安心だ」
◇3の例：「4月に社長が替わるそうですよ」／「あの二人は結婚するらしいですよ」－「へえ、そうなんですか」

33 ばん　正解 3

スクリプト
M：あっ、あの山、あれ富士山でしょう？
F：1　ええ。天気がよければ見えるのに。
　　2　ええ。見えるといいですね。
　　3　ええ。今日は天気がいいからよく見えますね。

ポイント
M＝「あそこに見えるあの山は富士山ですね」
F＝「はい、そうです。今日は天気がいいからよく見えますね」
場面：二人で景色を見ている。今日は天気がいい。向こうに富士山がよく見える。The two are watching a scenery. The weather is nice today, so Mt. Fuji can be clearly seen in the distance. 两个人在看着风景。今天天气很好。能清楚地看到对面的富士山。 둘이서 경치를 보고 있다. 오늘은 날씨가 좋다. 저편에 있는 후지산이 잘 보인다.

⚠
◇1の例：「今日は富士山が見えませんね」－「ええ。天気がよければ見えるのに」
◇2の例：「富士山、見たいなあ」－「ええ。見えるといいですね」

34 ばん　正解 1

スクリプト
F：わあ、どうしよう。授業、あと5分で始まっちゃう。
M：1　走れば間に合うんじゃない？
　　2　そうだね。まだだいじょうぶだね。
　　3　え？まだ5分あるの？

ポイント
F＝「大変だ。授業が5分後に始まってしまう。間に合わないかもしれない」
M＝「走って行けば、間に合うだろう」

ことば
「間に合う」be in time, be able to make it　赶得上、来得及　시간에 맞다、시간에 대다

⚠
◇2の例：「授業が始まるまでまだ少し時間があるね」－「そうだね。まだだいじょうぶだね」
◇3の例：「急がなくてもいいですよ。まだ5分前です」－「え？まだ5分あるの？」

35 ばん　正解 2

スクリプト
M：もっと注意するべきでした。すみません。
F：1　ああ、そうですか。
　　2　よく、気をつけてくださいね。
　　3　そうすればいいですよ。

ポイント
M＝「自分の注意が足りなくて、失敗をしてしまいました。すみません」
F＝「失敗しないように、よく注意をしてください」
場面：男の人が何か失敗（ミス）をして、女の人に謝っている。

◇「(注意する)べきだ」＝(注意し)なければならない

36 ばん　正解 3
スクリプト
F：昨日、あれからどうした？
M：1　うん、昨日したよ。
　　2　え、何をしたの。
　　3　すぐ帰ったよ。

ポイント
F＝「昨日、別れたあと、何をしたか」
M＝「すぐ家に帰った」
場面：昨日二人はいっしょにどこかで何かをした。女の人は、昨日別れたあと、男の人が何をしたか聞いている。The two were together yesterday doing something. The woman is asking him what he did after they separated yesterday. 昨日两个人一起在某処做了某事。女士问男士，两个人分別后，男士干了什么。 어제 둘은 함께 어디서 무언가를 했다. 여자는 어제 헤어진 후, 남자가 무엇을 했는지 묻고 있다.

◇「あれから」＝別れてから／別れたあとで

第5回
37 ばん　正解 3
スクリプト
M：このセーター、色がちょっと。
F：1　あ、ほんと。きれいな色ね。
　　2　じゃ、それにする？
　　3　うん、デザインはいいのにね。

ポイント
M＝「このセーターは色があまりよくない」
F＝「そうだ。デザインはいいけれど、色はよくない」
場面：店でセーターを選んでいる。
ことば
「デザイン」design　款式, 设计　디자인

38 ばん　正解 2
スクリプト
M：あれ？　今日は出張で出かけるんじゃなかったの？
F：1　そうですか。出張じゃないんですか。
　　2　出張は来週になったんです。
　　3　はい。今日は出張に行ってください。

ポイント
M＝「おや、あなたは、今日は出張で出かける予定でしたね。違いますか」
F＝「出張は来週になったので、今日は会社にいます」
場面：職場で、男の人は女の人の出張が来週に変わったことを知らなかった。今日はいないはずだと思っていたのに女の人がいるので、変だと思って質問した。At work, the man didn't know that the woman's business trip had been rescheduled to next week. He asked her because he didn't expect to see her there today. 在工作单位，男士不知道女士出差的时间改到了下周。他认为女士今天应该不在，却看见她在，觉得奇怪而提问。 직장에서 남자는 여자의 출장이 다음주로 변경됐다는 사실을 몰랐다. 오늘은 없다고 생각했는데 여자가 있어서 이상하다고 생각하여 질문했다.

ことば
「出張」business trip　出差　출장

◇「あれ？」＝おや？：何かに気がついたとき、何かが変だと思ったときに言う言葉。 used when noticing something different or strange　在发现什么, 或者觉有什么奇怪的事情的时候所用的词语。 무언가를 깨달았을 때, 무언가가 이상하다고 생각했을 때 나타내는 표현.

39 ばん　正解 2
スクリプト
F：病院へ行ったら、「心配いらない」って言われたよ。
M：1　じゃ、お医者さんに行きなさい。
　　2　そうか、よかったね。安心した。
　　3　そうか、それは困った。

ポイント
F＝「病院でみてもらったら、お医者さんが『だいじょうぶだ』と言った」

◇「心配いらない」＝心配する必要はない／問題はない／だいじょうぶだ

40 ばん　正解 3
スクリプト
M：ここにごみを捨てては困りますよ。
F：1　ええ、そうです。
　　2　え、それは大変だ。
　　3　あ、すみません。

ポイント
M＝「ここにごみを捨ててはいけません。捨てないでください」
場面：女の人が、ごみを捨ててはいけない場所にごみを捨てた。男の人が「だめですよ」と言って注意した。

◇「～ては困ります」＝～てはいけません／～ないでください

41ばん　正解1
スクリプト
F：ごめん、待たせちゃって。
M：1　いや、ぼくも来たところだから。
　　2　いや、待ってるから、だいじょうぶだよ。
　　3　え、待っててくれるの？

ポイント
F＝「遅刻して、ごめんなさい」
M＝「ぼくも少し前に来たから、そんなに待たなかった」
場面：二人は待ち合わせをした。女の人は、遅く来たので男の人が待ったと思って、謝った。男の人は、「だいじょうぶだ。心配はいらない」と言った。The two met at a designated place. The woman apologized to him because she came late and thought he had waited for a while. The man said not to worry. 两个人约好碰头。因为女士来迟了，她觉得让男士久等了，道了歉。男士说："没关系，不用担心。" 둘은 만나기로 했다. 여자는 늦게 도착해서 남자가 기다렸다고 생각하여, 사과했다. 남자는 「괜찮아. 걱정안해도 돼」라고 말했다.

◇「**待たせちゃって**」＝私はあなたを待たせてしまった＝私が遅くなったせいで、あなたは待たなければならなかった。悪かった。 I made you wait because I was late. I am sorry. 因为我来迟了，让你久等了。是我不对（对不起）。 내가 늦은 탓에, 너는 기다려야만 했다. 잘못했어.
◇2の例：「遅くなるから、先に行って（↗）」ー「**いや、待ってるから、だいじょうぶだよ**」
◇3の例：「ここで待ってるからね」ー「**え、待っててくれるの？**」

42ばん　正解2
スクリプト
M：日本語の勉強を始めてから、どれくらいになりますか。
F：1　去年の4月に始めました。
　　2　6か月ぐらいです。
　　3　だんだん難しくなります。

ポイント
場面：男の人は、女の人が日本語の勉強をしている時間の長さを聞いた。The man asked the woman how long she had been studying Japanese. 男士向女士询问了她学了多长时间的日语。 남자는 여자가 일본어 공부한 기간을 물었다.
◇1の例：「いつ日本語の勉強を始めましたか」ー「**去年の4月に始めました**」
◇3の例：「日本語の勉強はどうですか」ー「**だんだん難しくなります**」

43ばん　正解1
スクリプト
F：まだ食べているの。　早く食べちゃいなさいよ。
M：1　うん、わかった。
　　2　早く食べたいね。
　　3　食べちゃいけないの？

ポイント
F＝「早く食べてしまいなさい」
場面：女の人は食事中の男の人に早く食べ終えるように命令している。（女の人は母親や姉など、男の人より上の立場の人）The woman is telling the man to finish his meal quickly. (Her status is superior to his, like his mother or older sister.) 女士命令在吃饭的男士快点吃完。（女士是男士的母亲，姐姐等长辈。） 여자는 식사중인 남자에게 빨리 먹으라고 명령하고 있다（여자는 엄마 혹은 누나와 같은, 남자보다 나이많은 윗사람）.

◇3の例：「あ、それはだめ」ー「**食べちゃいけないの？**（＝食べてもいいでしょう？）」

44ばん　正解2
スクリプト
M：給料、上がらないかなあ。
F：1　うん、上がらなかった。
　　2　うん、上がるといいね。
　　3　うん、上がらない。

ポイント
M＝「給料が上がるといい」
場面：二人は、給料が上がってほしいと願っている。The two wish their salary would be raised. 两个人请求加工资。 두사람은 급료가 오르길 원하고 있다.

ことば
「給料」salary, pay　工资　급료

◇1の例：「給料、上がらなかったの？」ー「**うん、上がらなかった**」
◇3の例：「給料、上がらないね」ー「**うん、上がらない**」

45ばん　正解3
スクリプト
F：来週の月曜日、休みをいただきたいのですが。
M：1　はい、そうです。月曜日は休みです。
　　2　そうですね。じゃ、休みをもらいましょうか。
　　3　月曜日かあ。う～ん、忙しい日だからねえ。

ポイント
F＝「来週の月曜日、仕事を休んでもいいですか」

M＝「月曜日は仕事が忙しい日だから、あなたが休むと困る。休まないでほしい」

場面：男の人は女の人の上司。彼は、はっきり言わないが、「休まないでほしい」という気持ちを表している。The man is the woman's boss. He is not saying straightforwardly, but is implying he doesn't want her to take a day off then. 男士是女士的上司。他虽然没有直说，但却表现了"希望不要休息"的心情。 남자는 여자의 상사. 그는 확실히 얘기하진 않았지만,「쉬지 않았으면 좋겠다」라는 마음을 나타내고 있다.

⚠️
◇1の例：「月曜日は休みですか」－「はい、そうです。月曜日は休みです」
◇2の例：「私たち、ずっと忙しかったから、少し休みたいですね」－「そうですね。じゃ、休みをもらいましょうか」

内容理解 短文

第1回

1番　正解 3

ことば

「古くから」＝昔から
「愛する」love　喜欢，爱　사랑하다
「桜」cherry blossoms　樱花，樱花树　벚꽃
「名所」sightseeing spot　名胜（古迹）　명소
「7世紀」the seventh century　7 世纪　7 세기
「神」God　神　신
「守る」defend, protect　守护　지키다
「表す」indicate, show, express　表示　나타내다，드러내다
「時期」time, period　时期　시기
「差」difference　差，差别　차，차이
「特徴」feature, characteristic　特征　특징
「順番」in order, in turn　依照顺序，依次　순번
「半ば」around the middle　中央，中间　절반，중간
「最も」most　最　제일，(무엇보다도) 가장
「満開」in full blossom　盛开　만개
「～過ぎ」after ～　过，超过　～지나，～넘어
「散る」fall　落　지다，떨어지다

ポイント

◇この山には桜の木がたくさんある。4月になると、桜の花が山の下から上に向かって順番にさいていく。山の一番高いところの桜が満開になるのは、4月20日過ぎだ。⇒この山の桜の花は4月のはじめから4月20日過ぎまで長い間楽しむことができる。

⚠
◇「神の木として」＝「神の木」だと考えて
◇「美しさは、言葉では表すことができません」＝非常に美しい
◇「さく時期に差がある」＝早くさくところと、遅くさくところがある

💡 p.84 の答え
①この山の桜の花は（　さく時期　）が同じではない。
②4月のはじめに（　山の下　）の桜がさき始める。
③山が一番きれいになる時期は（　4月半ば　）だ。
④山の（　一番高いところ　）の桜の花が満開になるのは 4月 20 日過ぎだ。そのころには山の（　下　）のほうの桜の花は散って葉になる。

選択肢について

1　この山の桜は一度にさかないで、下の方から順番にさく。The cherry blossoms on this mountain do not bloom all at once, but they bloom in order from the bottom. 这座山上的樱花不是一起开的，从下到上，依次开花。　이 산에 피는 벚꽃은 한번에 피지 않고, 아래쪽에서부터 차례로 핀다.

2　4月 20 日ごろに山の上の桜が満開になる。

4　この山の桜がさく時期は 4 月の初めごろから 4 月 20 日ごろまでだ。

2番　正解 1

ことば

「同僚」co-worker　同事　동료
「飲みに行く」go to drink alcohol　去喝酒　마시러 가다
「しかたなく」reluctantly　没办法　하는 수 없다
「行き先」where to go　去的地方　행선지，목적지
「高速道路」expressway　高速公路　고속도로
「かなり」considerably　很，非常　꽤，상당히
「酔う」get drunk　醉，醉酒　취하다
「いつの間にか」without one's knowledge　不知何时　어느덧，어느새
「気がつく」come to oneself　清醒过来　제정신이 들다，정신나다
「目の前」in front of one　眼前　눈앞
「料金」fare, fee　费用　요금
「長距離」long distance　远距离　장거리
「加わる」be added　加上　추가되다，더해지다
「とんでもない」tremendous, outrageous　骇人听闻（的价钱）　터무니없다，당치도 않다
「額」amount of money　金额　금액
「安月給」low salary　低工资　짠월급，박봉
「文句」complaint, grumble　意见，牢骚，화語　문구

ポイント

◇私は酔っぱらってタクシーで帰った。タクシーの中で寝てしまった。気がついたら家の中にいて、妻が怒っていた。I got drunk and went home by taxi, then fell asleep in the taxi. I later found out I was in my home and my wife was angry. 我喝醉了后坐出租车回家。在车中睡着了。清醒过来的时候还在家里，妻子在发火。　나는 취해서 택시를 타고 돌아왔다. 택시 안에서 자버렸다. 정신차리고 보니 집안에 있었고, 부인이 화내고 있었다.

◇タクシーの料金は妻が払った。長距離で高速道路代も加わったので、料金はとても高かった。妻は、「月給が安いのに」とずっと文句を言っていた。My wife paid the taxi fare. It was extremely expensive because it was a long distance and the expressway charge was included. My wife kept on complaining saying "when you get only a small salary." 出租车费是妻子付的。很远的距离加上高速公路费，价钱很贵。妻子不停地抱怨："你的工资这么低，还……"　택시요금은 부인이 지불했다. 장거리에 고속도로요금까지 추가되어, 요금은 상당히 많이 나왔다. 부인은 「월급이 많지도 않은데」하며 불평을 했다.

⚠
◇「私が急いでいると見たのか」＝私が急いでいると思ったからか
「～と見る」＝～と判断する／と思う judge that / think that ～　判断是～，认为是～　～라고 판단하다 / 라고 생각하다

◇「よく考えずに」＝よく考えないで
◇「長距離のうえに高速道路代まで加わって」＝長距離の料金だけでなく高速道路の料金も入って including not only the long distance fee but also the expressway charge 不只是远距离的价钱，高速公路费也在里面　장거리요금뿐만 아니라, 고속도로요금도 포함되어
◇「～のうえに～まで」＝～だけでなく～も
◇「安月給なのに……」＝月給が安いのに高いタクシー料金を払うのは困る

💡 p.85 の答え
①私は同僚と飲みに行って遅くなり、（ タクシー ）で帰った。
②タクシーの運転手は（ 高速道路 ）を利用した。
③タクシーの中で（ 寝てしまった ）。
④気がついたら家の中にいて、妻が（ 怒っていた ）。
⑤（ 妻 ）がタクシーの料金を払った。
⑥タクシーの料金はとても（ 高かった ）。
⑦妻は、「（ 安月給 ）なのに……」と文句を言い続けた。

選択肢について
2、3、4　筆者の妻が怒っているのは、高いタクシー料金を払ったこと。

3番　正解 4

ことば
「市内」in(side) the city　市内　시내
「事件」case, incident　事件　사건
「犯人」criminal　犯人　범인
「肩」shoulder　肩膀，肩　어깨
「車道」roadway　车道　차도
「携帯電話」cellphone　手机　휴대전화
「カード（キャッシュカード）」card (cash card, bank card) 卡（自动提款卡，银行卡）카드 (현금카드)

ポイント
◇犯人は自転車に乗っているので、自転車が通る車道側の肩にかばんをかけないほうがいい。Because the criminal rides a bicycle, you should not hang your bag on your shoulder on the roadway side. 因为犯人骑着自行车，所以靠近自行车道一侧的肩上最好不要背包。　범인은 자전거를 타고 있으므로, 자전거가 지나가는 차도 쪽 어깨에 가방을 메고 있지 않은 것이 좋다.

💡 p.86 の答え
①夜遅い時間に（ 歩いて ）帰る女性が（ かばんをとられる ）という事件が増えている。
②犯人は（ 自転車 ）に乗っていることが多い。
③かばんを肩にかけるときは（ 車道側ではない ）ほうの肩にかけたほうがいい。

選択肢について
1　「かばんを肩にかけてはいけない」とは言っていない。
2　「犯人は自転車に乗っていることが多い」と言っている。
3　これは、かばんをとられないようにする方法ではない。（かばんをとられたときに困らないように、「かばんに家のかぎや携帯電話を入れておかないほうがいい」と言っている。）This is not how to prevent from getting your bag snatched. It says you should not put your house key or cellphone in your bag in case you get robbed of your bag. 这不是包不被抢去的方法。说的是为了在万一包被抢了的时候不要太遭殃，"不要在包里放家里的钥匙，手机等物。" 이것은 가방을 빼앗기지 않으려고 하는 방법은 아니다. (가방을 빼앗겼을 때 곤란하지 않도록, 「가방에 집 열쇠나 휴대폰을 넣어두지 않는 것이 좋다」라고 얘기하고 있다.

4番　正解 2

ことば
「先日」the other day　前几天　일전, 며칠 전
「突然」without notice　突然　갑자기
「かかわらず」although, in spite of　尽管　～에도 불구하고
「時間を作る」make time　腾出时间　시간을 내다
「その上」on top of that, moreover　加上　게다가
「ごちそうになる」be treated　被请客　대접을 받다
「不安」uneasiness, anxiety　不安　불안
「改めて」anew, afresh　重新　다시, 새삼스레
「目標」goal　目标　목표
「確認する」confirm, make sure　确认　확인하다
「努力する」make an effort　努力　노력하다
「結果」result　结果　결과
「報告する」inform, report　报告　보고하다
「訪問する」visit　访问　방문하다
「奥様」your wife (a polite expression to call someone's wife)　妻子　부인, 사모님

ポイント
◇チャンさんは心配なことを相談しに山田先生の家に行った。先生に話を聞いてもらったら、不安がなくなった。

⚠
◇「突然おうかがいしたにもかかわらず」＝連絡をしないで急に訪問したのに
◇「お時間を作っていただき」⇒チャンさんは行く前に連絡をしないで急に訪問したが、先生は「時間がないからだめだ」と言わないで、チャンさんと話したり、食事をしたりした。
◇「その上お食事までごちそうになり」＝話を聞いてもらっただけでなく、食事もごちそうになって⇒行く前は食事をごちそうになるとは思っていなかった。
◇「よろしくお伝えください」：「（先生の奥様に）私の感謝の気持ちを伝えてほしい」というあいさつの表現。a greeting meaning "I want you to tell your wife I really appreciate it." 请向（老师的妻子）转达我的谢意。「(선생님 부인께) 제 감사의

N3解答

「마음을 전해주세요」라고 하는 인사의 표현.

💡 **p.87の答え**

① チャンさんは、（ 話を聞いてもらう／相談する ）ために山田先生の家に行った。
② 先生に相談して、不安が（ 消えた／なくなった ）。
③ （ （先生の）奥様 ）が作った料理をごちそうになった。

選択肢について

3　「よい結果をご報告できるようにがんばります」⇒まだ結果は出ていないので、報告はできない。

1、4　「お時間を作っていただき、その上お食事までごちそうになり、ありがとうございました」⇒手紙を書いた人が一番感謝しているのは時間を作っていただいたこと。「その上」は「それに加えて」という意味なので、食事をごちそうになったことは、それに付け加えられていること。だから、食事をごちそうになったことも、食事を用意してくれた奥様にお礼を言うことも、一番伝えたいことではない。What the writer of the letter thanks most for is that the teacher kindly made time for him. 「その上」means "on top of that" and so having been treated is something secondary. Therefore, having been treated or saying thanks to his wife are not what the writer wants to say most. 写信的人的最大感谢是腾出了时间。「その上」是"再加上"的意思，被请客吃饭是被再加上的事。所以，被请客吃饭，对准备饭菜的妻子的感谢的话，并不是最想传达的意思。편지를 쓴 사람이 가장 감사하고 있는 부분은 시간을 내주셨다는 점. 「その上（게다가）」는 「그에 더해」라는 의미이므로, 식사를 대접받은 점도, 그에 덧붙여진 부분이다. 그러므로 식사를 대접받은 것도, 식사를 준비해주신 사모님에 대한 인사도, 가장 전하고 싶은 내용은 아니다.

第2回

1番　正解3

ことば

「人気」popularity 人气 인기
「人気が高い」＝とても人気がある
「やって来る」＝こちらに来る
「歌声」singing voice 歌声 노래목소리
「感動する」be moved 感动 감동하다
「昨年」last year 去年 작년
「発売する」be released 发售、出售 발매하다
「CD」compact disc 光盘 콤팩트 디스크
「全～」whole ~ , entire ~ 全～ 전～
「売り上げる」sell 售出 판매하다
「宣伝」advertisement 宣传 선전
「来日」visiting to Japan 来日本 방일
「主（な）」main 主要（的）주된
「目的」purpose 目的 목적
「半年」a half year 半年 반년

「（時間を）かける」spend/take (time) 花(时间)（시간을）들이다
「各地」various places 各地 각 지역
「時期」time, period 时期 시기
「空いた時間」spare time, free time 空闲时间 틈, 빈 시간
「観光」sightseeing 观光 관광
「出演する」appear 演出 출연하다

ポイント

◇来月新しいCDが発売される。そのCDの宣伝が「wee」の来日の主な目的だ。
◇来月からアメリカ各地でコンサートをする予定だが、その前にCDを日本で宣伝したいと考えている。
◇日本にいる間にテレビ番組にも出演する。
◇観光や買い物もするが、それは空いた時間にすることなので、来日の目的ではない。They will do sightseeing or shopping as well, which they will do in their free time and is not the purpose of their visit to Japan. 也会观光和购物，但这是有空余时间时做的事，并不是来日本的目的。 관광이나 쇼핑도 하지만, 그것은 빈 시간에 할 것이므로, 그것이 일본에 온 목적은 아니다.

⚠️
◇「来月から半年かけて」＝来月から半年間
◇「日本にいるのは1週間と短い」＝日本にいるのは1週間だけだから短い

💡 **p.88の答え**

① 来月また新しい（ CD ）が発売される。
② 来月からアメリカ各地で（ コンサート ）を行う。
③ 日本に来る目的は（ CDを宣伝する／CDの宣伝をする ）ことだ。
④ 彼女たちは、（ 空いた時間 ）に観光や買い物を楽しみたいと言っている。
⑤ 日本にいる間に（ テレビ番組／テレビ ）にも出演する予定だ。

選択肢について

1　日本に来る目的はCDの宣伝。販売ではない。
2　「その前にしっかり宣伝しておこうということのようです」⇒来日するのは、コンサート・ツアーが始まる前に、来月発売されるCDを宣伝しておきたいからだ。コンサートの宣伝が目的ではない。
4　観光や買い物は空いた時間にすることなので、来日の目的ではない。

2番　正解4

ことば

「現代」present times, now 现代 현대
「パソコン」PC 电脑 컴퓨터
「携帯電話」cellphone 手机 휴대전화
「画面」screen 荧屏 화면
「疲れ」tiredness, fatigue 累 피로, 피곤
「感じる」feel 感到 느끼다

「すすめる」 recommend　提议，建议　권하다
「体操_{たいそう}」 exercise　体操　체조
「読書_{どくしょ}」 reading books　读书　독서
「緊張_{きんちょう}」 tension　紧张　긴장
「閉_とじる」 close　闭（눈을）감다
「動_{うご}かす」 move　动，移动，挪动　옮기다，움직이게 하다
「くりかえす」 repeat　反复　반복하다，되풀이하다
「筋肉_{きんにく}」 muscle　肌肉　근육
「かなり」 quite, rather　很，非常　꽤，상당히
「とれる」 be removed　解除　없어지다，(피곤이) 풀리다

ポイント

◇目を閉じたり開いたり、瞳の体操をしたりすると目のまわりの筋肉がやわらかくなって、疲れがとれる。 Exercising by closing and opening your eyes, or moving your pupils makes the muscles around the eyes soften and get rid of tiredness. 眼睛一会儿闭，一会儿睁，做瞳孔左右上下（转动）的体操，眼睛周围的肌肉变得柔软，能解除疲劳。 눈을 감았다 떴다하면서 눈동자 체조를 해주면 눈 주위 근육이 부드러워져서，피로가 풀린다．

⚠

◇「パソコンを使った後や読書をした後に目が疲れるのは、近くの物を見続けることによって、目のまわりの緊張が続くからです」

「AのはBからだ」＝ Aの理由はBだ The reason for A is B.　A的理由是B　A의 이유는 B이다

p.89 の答え

①現代の生活では（　目の疲れ　）を感じている人が多い。
②近くの物を見続けると、目のまわりの（　緊張　）が続く。 If you keep looking at things closer, the tension around your eyes will continue. 一直看着近处的东西的话，眼睛周围的（紧张）一直持续着。 가까운 것을 계속 쳐다보면, 눈 주위 (긴장) 이 계속 간다．
③目を（　閉じたり　）開いたり、瞳を上下左右に（　動かす　）体操をしたりすると、目のまわりの筋肉が（　やわらかくなって　）、疲れがとれる。

選択肢について

1　近くにあるものを見続けると、目が疲れてしまう。
2　目のまわりの筋肉をやわらかくすると目の疲れがとれる。強くするのではない。
3　目の体操をするのは、目が疲れたとき。目を使う前ではない。

3番　正解4

ことば

「旅_{たび}」 travel　旅行　여행
「発見_{はっけん}」 discovery　发现　발견
「出会_{であ}い」 encounter　相遇　만남
「様々_{さまざま}(な)」 various　各种各样　여러 가지，각양각색

「感_{かん}じる」 feel　感到　느끼다

ポイント

私は旅に出るといつも新しい発見をする。
⇒新しい発見とは、いろいろなものを見て、聞いて、食べて、感じて考えることだ。これが経験になって、私は大きくなる。 New discoveries are to see, hear, eat, and feel various things, and to think. These things become my experiences and make me grow up. 新发现就是通过看，听，感觉各种各样的东西而进行思考。这些都会变成经验，让我成长。 새로운 발견이란，다양한 것을 보고，듣고，먹고，느끼며 생각하는 것이다．이것이 경험이 되어，나는 큰 사람이 된다．

p.90 の答え

①旅に出ると新しい（　発見　）がある。
②様々なものを見て、聞いて、食べて、（　感じて　）、（　考える　）ことが、人が「大きくなる」ということだ。
③旅行に出かけるときより、（　戻る　）ときのほうが、荷物が重く感じる。それは、旅の間にした（　経験　）の重さだろう。

選択肢について

この文章の「大きくなる」という意味は、旅をしていろいろな経験が増えて成長すること。
1　体が大きくなることではない。
2　悪い発見が増えることではない。
3　荷物が増えることではない。

4番　正解2

ことば

「カセットボンベ」 gas cartridge　液化气体　카세트 봄베
「バーベキュー」 barbecue　烧烤　바베큐
「ごみ収集車_{しゅうしゅうしゃ}」 garbage truck　垃圾收集车　쓰레기 수거차
「ごみ処理場_{しょりじょう}」 refuse dump　垃圾处理场
「中身_{なかみ}」 contents　内容，容纳的东西　내용물，속에 든 것
「使_{つか}い切_きる」 use up　全部用完　다 쓰다
「穴_{あな}を開_あける」 make a hole　开洞，打洞　구멍을 내다
「資源_{しげん}ごみ」 recyclable waste　资源垃圾（可回收垃圾）　재활용 쓰레기
「危険物_{きけんぶつ}」 hazardous material　危险物品　위험물
「直接_{ちょくせつ}」 directly　直接　직접
「持_もち込_こむ」 bring in　带入　가지고 오다
「方法_{ほうほう}」 way　方法　방법
「無料_{むりょう}」 free of charge　免费　무료
「問_とい合_あわせ」 contact, inquiry　问讯　문의
「ごみ処理_{しょり}センター」 refuse disposal center　垃圾处理中心　쓰레기처리센터

ポイント

カセットボンベの捨て方
❶「資源ごみ」の日に出す。
　注意：中身を使い切る。カセットボンベに穴を開け

65

る。無料。
❷「特別ごみ」の日に出す。
注意：中が見える袋に入れる。危険物として、ほかのごみと分ける。穴は開けなくてもいい。無料。
❸「ごみ処理場」に持っていく。
注意：❷と同じ。

⚠️
◇「ごみとして」＝ごみだと考えて
◇「缶（かん）として出してください」＝缶を捨てるところに捨ててください

💡 p.91 の答え
① カセットボンベを捨てるときは、中身を（ **使い切って** ）から、（ **穴を開けて** ）、資源ごみの日に缶として出す。
② 穴を開けられない場合は、（ **中が見える袋** ）に入れて、特別ごみの日に出す。
③ （ **ごみ処理場** ）に持ち込むこともできる。その場合は、（ **中が見える袋** ）に入れて危険物だとわかるようにする。
④ どの方法も（ **無料** ）だ。

選択肢について

1 　穴を開けられない場合は、中が見える袋に入れれば、特別ごみの日に捨てることができる。If you cannot make a hole, you can put it into a see-through bag and throw it on the special dump day. 不能凿开洞的情况下，放入能看见里面所放物品的口袋中（透明的口袋），在特别垃圾日，可以扔掉。 구멍을 낼 수 없을 경우에는, 안이 보이는 봉투에 넣으면 특별쓰레기 수거날 버릴 수 있다.

3 　穴を開けてもらうためにごみ処理場に持っていくのではない。You do not take it to the dump station to get it drilled a hole. 并不是为了凿洞才拿到垃圾处理场。 구멍을 내기 위해서 쓰레기처리장에 갖고 가야하는 것은 아니다.

4 　「どの方法で出す場合も無料です」⇒ごみ処理場に持っていく場合だけ無料になるのではない。資源ごみの日に出す場合も、特別ごみの日に出す場合も、どれも無料。

内容理解 中文

第1回

1番
問1　正解4
問2　正解2
問3　正解1

ことば
「先日（せんじつ）」the other day　前几天　일전, 지난 날
「年寄（としよ）り」the elderly　老年人　노인, 어르신
「～扱（あつか）いをする」treat a person/thing like ～　以～对待　～취급을 하다
「不自由（ふじゆう）（な）」handicapped　不自由　부자유(스런)
「譲（ゆず）る」give up (one's seat)　让　양보하다
「ちゃんと」appropriately, without fail　好好地　제대로, 확실히
「守（まも）る」obey, follow　守护　지키다
「がっかりする」be disappointed　失望, 沮丧　실망하다, 낙심하다
「にっこり（笑（わら）う）」smile　宛然（一笑）　생긋, 방긋

ポイント

①起こったこと：バスの中で女の子が女性に席を譲った。女性は断った。
「その女性は少し怒（おこ）ったような顔で、『いいわよ』と言った」

◇「いい」は、断りの表現（ひょうげん）にもなる。この文章（ぶんしょう）では「怒ったような顔」とあるので、「いいわよ」が断りだとわかる。「いい」also expresses declining.「怒ったような顔 (mad-like face)」in this sentence shows「いいわよ」means no thank you.「いい」也可成为拒绝的表现。因为这个句子里有「怒ったような顔（好像发怒的脸）」，所以知道「いいわよ」是拒绝的表现。「いい」는 거절의 표현도 있다. 이 문장에서는「怒ったような顔 (화난 것 같은 얼굴)」이라고 되어 있으므로,「いいわよ」는 거절의 표현이라는 것을 알 수 있다.

例：A「何か飲みますか」B「いいえ、いいです。さっきコーヒーを飲みましたから」

◇「～わ」は、女性が話し言葉（ことば）で文末（ぶんまつ）に使う助詞（じょし）。「～わ」is a particle used at the end of a sentence and is used colloquially by women.「～わ」是女士说话时句尾用的助词。「～わ」는 여성이 구어에서 문말에 사용하는 조사.

②「私」の考え：女の子は教えられたことをちゃんと守（まも）って席を譲ったのだろう。女性はそのことを理解（りかい）して座（すわ）るべきだったのに、断ってしまった。それはよくなかった。残念（ざんねん）だ。The girl maybe gave up her seat following what she was taught to do. The woman should have understood that and taken the seat, but declined, which was not good, was a shame. 女孩一定是按照所受的道德教育而让了座位。女士应该理解这一点而顺其自然地就坐。但她拒绝了。不太好，很遗憾。여자아이는 배운 대로 제대로 지켜서 자리를 양보했겠지요. 여성은 그 점을 이해하고 앉아야 했으나, 거절해 버렸다. 그것은 옳지 않았다. 유감스럽다.

＜問1のカギ＞

「女性は、それを理解して『ありがとう』と言って座ればよかったのに」＝女の子が席を譲ったのは、そうしなさいと教えられていたからだろう。女性がそれを理解しないで座らなかったのは、よくなかった。残念だ。The girl gave up her seat maybe because she had been taught to do so. It was not good and was a shame that the woman did not understand it and did not take the seat. 女孩子之所以让位，是因为被教育要这样做。女士不能理解这一点而没有就座，不太好。很遗憾。여자아이가 자리를 양보한 것은, 그렇게 하라고 교육을 받았기 때문이겠지. 여성이 그것을 이해하지 않고, 앉지 않은 것은 옳지 않았다. 유감이다.

◇「Aばよかったのに」＝Aしなかったのは、よくなかった。残念だ：Aしなかったことを非難（ひなん）する表現（ひょうげん）。criticizing that one did not do A　责备没有做A的表现。A 하지 않은 점을 비난하는 표현.

例：「すぐに病院へ行けばよかったのに」＝すぐに病院へ行かなかった。それはよくなかった。

＜問2のカギ＞

「『お年寄りや体の不自由な人がいたら、席を譲りなさい』と教えられているのをちゃんと守って立ったのだろう」⇒「私」は、女の子が教えられていることを正しく守ったと考えている。女の子のしたことは正しくてよかったと評価（ひょうか）している。"I" think the girl rightfully followed what she was taught to do, and what she has done deserves appreciation. "我"认为，女孩子遵守了被教育的道德观念。认为女孩做的事是对的，好的。나는 여자아이가 배운 것을 제대로 지켰다고 생각하고 있다. 여자아이가 한 행동은 옳고 잘 했다고 평가하고 있다.

◇「ちゃんとAする」＝正しく／まちがいなく Aする

＜問3のカギ＞

「彼女（かのじょ）は『はい』とにっこり笑ってバスを降（お）り、走って行った」⇒女の子は笑って答えたし、走って行った。その様子を見て、「私」は女の子がそんなにがっかりしていないようだ、元気そうだと思って安心した。The girl replied with a smile and ran away. Seeing her do so, "I" was relieved thinking she was not so disappointed and seemed fine. 女孩笑着回答，然后跑着去了。看到这样，"我"觉得女孩并没有感到沮丧，而是很欣然的样子。我安心了。여자아이는 웃으며 대답했고, 뛰어 갔다. 그 모습을 보고, 나는 여자아이가 그렇게 실망하지 않은 것 같아 보이고, 밝아 보여 안심했다.

選択肢について

問1　女性がしたことについて思ったこと
1　「ありがとう」と言ったのはよかった。
　　（「ありがとう」とは言わなかった）
2　「いいわよ」と言った理由が理解できない。
　　（「いい気持ちがしなかったのかもしれない」と理由を推測（すいそく）しているから、「理解できない」とは言えない）

3 女性が座ったので安心した。
 　（座らなかった）

問2　女の子がしたことについて思ったこと
1 女性を年寄りだと思ったのはよくなかった。
 　（「よかった」とも「よくなかった」とも言っていない）
3 女性をいやな気分にしたのはよくなかった。
 　（「よかった」とも「よくなかった」とも言っていない）
4 女性に笑って答えたのはよかった。
 　（女性に対して笑ったのではない。「私」に笑って答えた）

問3　「少し安心した」理由
2 女の子がバスを降りたから
 　（「元気な様子でバスを降りたから」なら○）
3 女の子が傘を持っていたから
 　（直接の理由ではない）
4 女の子が教えられたことを守ったから
 　（直接の理由ではない）

2番
問1　正解 1
問2　正解 4
問3　正解 2

ことば
「レジ袋」＝店のレジでくれる袋。買った物を入れる。
「かご」basket　籃子，(購物)筐　바구니
「協力」cooperation　协力　협력
「投書」letter to the editor　投稿，写信　투서
「直接」directly　直接　직접
「〜のせいで」because of 〜　因为 〜　〜 탓에
「コミュニケーション」communication　交流，沟通　커뮤니케이션
「減る」decrease　减少　줄다
「使用」use　使用　사용
「大した〜ない」not all that 〜　没什么的　별대단한 〜 아니다
「内容」content, substance　内容　내용
「商店」store　商店　상점
「商品」merchandise　商品　상품
「勧める」recommend　推荐　권하다

ポイント
①「ノー・レジ袋カード」：スーパーのレジでこのカードを使うと、店員と話をしなくても「レジ袋は要りません」と伝えることができる。If you use this card at the cashier of a supermarket, you can let them know you don't need plastic bags without talking to them. 在超市的收款处用这张卡的话，不用和店员说话也可以传达"不要店里的购物袋。"的意思。슈퍼 계산대에서 이 카드를 사용하면, 점원하고 얘기하지 않아도 "비닐봉투는 필요없습니다." 라고 전달할 수 있다.

②投書をした人の考え：「ノー・レジ袋カード」は使いたくない。このカードを使うと、会話をしなくなるので、コミュニケーションの機会が減ってしまうからだ。I don't want to use the "no plastic-bag card," because by using the card, I do not need to talk and so the chance of communication will lessen. 不想用"不要购物袋"的卡。用这张卡的话，不用说话，交流的机会减少了。「노 비닐봉투 카드」는 사용하고 싶지 않다. 이 카드를 사용하면, 회화를 하지 않게 되므로, 커뮤니케이션의 기회가 줄기 때문이다.

③「私」の考え：投書した人の考えには賛成しない。「袋は要らない」と伝える会話は簡単であまり内容がないので、良いコミュニケーションにはならないからだ。小さい店で客が店員に商品について相談するときのような、もっと内容のある会話がスーパーでは行えないことのほうが残念だ。I don't agree with the person who wrote this. To tell the cashier "I don't need a bag," is too simple a conversation with little content. It is more of a shame that we cannot have more meaningful conversations in supermarkets, such as between a customer consulting with a clerk regarding merchandise in a small store. 不能赞成投稿人的想法。因为"不要购物袋"的对话很简单，也没什么内容，并不能形成好的对话。在超市里，没有像小店那样能和店员谈论商品，更有内容的对话存在，真是很遗憾。투서한 사람의 생각에는 찬성하지 않는다. 「봉투는 필요없다」라고 전달하는 회화는 간단하고 그다지 내용이 없으므로, 좋은 커뮤니케이션을 취한다고 생각할 수 없기 때문이다. 작은 가게에서 손님이 점원에게 상품에 대해 상담하는 것과 같은 좀더 내용이 있는 회화가 슈퍼에서는 이루어지지 않고 있는 것이 더 유감스럽다.

＜問1のカギ＞
「客と店員が『レジ袋は要りませんよ』『はい、ご協力ありがとうございます』というような会話をしないですむ」

＜問2のカギ＞
「カードのせいで人と人のコミュニケーションの機会が減ってしまうのは残念だ」＝会話が少なくなるのは残念だ。会話があるほうがいい。

＜問3のカギ＞
「例えば小さい商店で、どの商品がいいか相談したり、店の人が客に合う品を勧めたりするようなコミュニケーションが、今のスーパーではしたくてもできない」⇒スーパーでは、レジ袋カードを使わない場合にも良いコミュニケーションが行えない。

選択肢について
問1　「ノー・レジ袋カード」の便利な点
2 会話をしなくてもお金が払えること
 　（「レジ袋は要らないと伝えることができる」なら○）
3 客と店員の会話が簡単にできること
 　（「会話がなくてすむ」なら○）
4 客が店員に言葉で直接伝えられること
 　（「言葉ではなくカードで伝えられる」なら○）

問2 「ノー・レジ袋カード」を使いたくない理由
1 カードの使い方がわかりにくいから
（カードをかごに入れるだけだから、わかりやすい）
2 必要なレジ袋をもらえないのは残念だから
（「要らない」と伝えない場合はもらえる）
3 自分の買い物袋を持っているから
（袋を持っている場合でも、「カードを使いたくない」と言っている）

問3 店で行われるコミュニケーションについての「私」の考え
1 レジで行われるコミュニケーションは簡単なほうがいい。
（これは言っていない）
3 小さい店はコミュニケーションの機会が少ないので残念だ。
（「スーパー」なら○）
4 レジでカードを使わなければコミュニケーションが増えるだろう。
（これは投書をした人の考えで、「私」の考えではない）

3番
問1　正解4
問2　正解2
問3　正解3

ことば
「バラ」 rose 玫瑰 장미
「不可能（な）」 impossible 不可能(的) 불가능(한)
「自身」 itself 自己 자신
「方法」 method 方法 방법
「種類」 kind 种类 종류
「なかなか～ない」 not easily ～ 没有～，不容易有～，很难有～ 좀처럼 ～ 없다
「ついに」 finally 什么时候 마침내, 결국
「花言葉」 floral language 花的象征语 꽃말
「奇跡」 miracle 奇迹 기적

ポイント
①長い間、「青い色のバラを作ることはできない」と考えられていた。
②研究者は、ほかの青い色の花の力を自分の力に変えられるバラを見つければ青いバラができると考えて、研究を始めた。Researchers started their research thinking if they could find the roses that can move the power of other blue flowers into their own, they might be able to create blue roses. 研究者考虑了，是否能找到可以把别的蓝色的花变成自己力量的玫瑰，就这样开始了研究。 연구자는 다른 파란색 꽃의 힘을 자신의 힘으로 바꿀 수 있는 장미를 찾는다면, 파란장미가 탄생하겠다고 생각하여, 연구를 시작했다.

◇「～というわけではありません」＝～ではありません
どの種類のバラでもいいというわけではありません。＝ある特別な種類のバラ（ほかの青い色の花の力を自分の力に変えられるバラ）ならいいです。
③ほかの花の力を自分の力に変えられるような種類のバラを見つけるのに時間がかかったが、14年後に成功して、青いバラができた。It took them a long time to find the kind of roses that can move the power of other flowers into their own, but they finally succeeded after 14 years and could give birth to blue roses. 找出把别的花的力量变成自己的力量的玫瑰用了很长时间，14 年龄后，终于有了蓝色玫瑰。 다른 꽃의 힘을 자신의 힘으로 바꿀 수 있는 종류의 장미를 찾는데 시간이 걸리지만, 14 년 후 성공했고, 파란 장미는 탄생했다.

<問1のカギ>
「昔からずっと『青いバラは作ることができない』と言われてきました。バラにはもともと青い色を作る力がありません。それで英語の『blue rose』という言葉には『不可能』という意味があります」

<問2のカギ>
「ほかの花の力を自分の力に変えられるものを探しました」

<問3のカギ>
「青いバラの花言葉は『普通では考えられないことが起きる』という意味の『奇跡』です」

選択肢について
問1 「不可能な花」と言われる理由
1 バラはほかの花の力を使うことができないから
（全部のバラができないのではない。できる種類もある）
2 バラは青い花の力を借りることができないから
（全部のバラができないのではない。できる種類もある）
3 青いバラを作る研究ができないから
（研究は行われた）

問2 「ほかの青い花からその力を借りる」の意味
1 ほかの種類のバラの力を貸してもらう。
（「ほかの青い花」なら○）
3 青い色を作るバラの力をほかの花に与える。
（「ほかの花の力をバラに与える」なら○）
4 青い色を作る力があるほかの花を探す。
（「探して見つけたら、その力を自分の力に変える」なら○）

問3 青いバラの花言葉が「奇跡」である理由
「普通では考えられないこと」ができたから、花言葉が「奇跡」になった。しかし、1、2、4は「普通では考えられないこと」ではないから「奇跡」ではない。

N3 解答

第2回
1番
問1　正解 2
問2　正解 4
問3　正解 3

ことば
「ちょっとしたこと」＝小さいこと
「先日」 the other day　前几天　지난 날．전날
「突然」 suddenly　突然　갑자기
「刺す」 stab　刺　찌르다
「事件」 case, incident　事件　사건
「専門家」 specialist　专家　전문가
「行動」 behavior　行动　행동
「いらいらする」 feel irritated　焦虑　짜증나다．안달하다
「怒りっぽい」＝すぐ怒る
「規則正しい」 orderly, well-regulated　有规则的　규칙적이다
「塾」 cram school　私塾　학원
「胃腸」 stomach and intestines　胃肠　위장
「調子」 condition　音调，情况，样子　상태
「結果」 result　结果　결과
「その結果」 as a result　那样做的结果　그 결과
「不安定（な）」 unstable　不安定（的）　불안정 (한)
「栄養」 nutrition　营养　영양
「気を付ける」 pay attention　小心　조심하다．주의하다
「成長期」 one's growth period　成长期　성장기
「健康」 health　健康　건강

ポイント
① 問題点：小さいことですぐに怒る子どもが増えている。More children get upset easily about trivial matters. 因为一点小事马上发怒的孩子增加了。작은 일에 바로 화를 내는 아이들이 늘고 있다。

② 原因：規則正しい食事をしないと体の調子が悪くなって、その結果、心も不安定になる。不規則な食事のし方が一番大きな原因だ。If you fail to have a regular diet, your physical condition will go bad and as a result your mental health will go unstable. An irregular diet is the biggest cause. 如果不有规则地用餐，身体的状态就变得不好，结果，心也变得不安定。不规则地用餐是最大的原因。규칙적인 식사를 하지 않으면 몸 상태가 나빠져서, 그 결과 마음도 불안정해진다. 불규칙한 식사법이 가장 큰 원인이다.

③ この文章を書いた人が言いたいこと：子どもの心の健康のためには、規則正しく食事をすることが大切だ。

＜問1のカギ＞
「最近、ちょっとしたことで怒る子どもが増えている。先日も、いつもはまじめに勉強していた子が突然友だちをナイフで刺すという事件が起こった」Recently more children get upset easily about trivial matters. The other day there happened an incident in which a normally hardworking boy suddenly stabbed his friend with a knife. 最近，因为一点小事马上发怒的孩子增加了。前几天，就发生了一起一贯认真学习的孩子突然用刀子刺向朋友的事件。최근에 대수롭지 않은 일로 화를 내는 아이들이 늘고 있다. 요전에도 평소에는 착실히 공부하던 아이가 갑자기 친구를 칼로 찌르는 사건이 있었다.

＜問2のカギ＞
「今の子どもたちは、一日三回の規則正しい食事ができないことが多い。…こんな食事のし方を続けていると、夜眠れなくなったり、胃腸の調子が悪くなったりして、その結果、心も不安定になる」Children nowadays often cannot have regular three-meals-a-day diets. If they keep their diet this way, they will become unable to sleep at night, have problems in their stomach and intestines, and as a result their mental state will become unstable. 现在的孩子不能规则地一天吃三餐的很多。如果这样的用餐方式继续下去的话，晚上睡不着，胃肠状态不好，结果，心情不安定。지금 아이들은 하루 3 회의 규칙적인 식사를 하지 못하는 경우가 많다. 이런 식사법을 계속하게 되면, 밤에 잠을 자지 못하거나, 위장 상태가 나빠지거나 하여, 그 결과 마음도 불안정하게 된다.

＜問3のカギ＞
「『何を食べるか』よりもっと大切なのは、『どのように食べるか』である。…食事の習慣についてもっと注意することが必要だ」What is more important than "what you eat" is "how you eat." We need to pay more attention to our dieting habits. 比"吃什么"更重要的是"怎么吃"。对于用餐习惯，有必要更加引起注意。「무엇을 먹을까」 보다 더 중요한 것은, 「어떻게 먹는가」 이다. 식사습관에 관해 좀더 주의할 필요가 있다.

◇「Aというものではない」＝Aではない（Aの文を否定する）
「栄養に気をつければそれでいい、というものではない」＝栄養に気をつけるだけではだめだ

選択肢について
問1　「そのような行動の原因」とは？
1　なぜまじめに勉強すると怒りっぽくなるのか。
　　（この二つのことの関係は問題ではない）
3　どうして教育の専門家が意見を言うのか。
　　（問題は子どもの行動）
4　何のために子どもがナイフを持っているのか。
　　（問題はナイフを持っていることではなく、刺すこと）

問2　「こんな食事のし方」とは？
1　塾へ行く前にラーメンや菓子を食べること
　　（これは不規則な食事の一例。これだけではない）
2　塾から帰った後で食事をすること
　　（これは不規則な食事の一例。これだけではない）
3　甘いものをとりすぎること
　　（「何を食べるか」は食事の「し方」ではない）

問3　言いたいこと
1　親は子どもが何を食べるかについて注意するべきだ。
　　（「どのように食べるか」なら○）
2　成長期の子どもをもつ親は食事の栄養に気をつけるべきだ。
　　（「食事のし方」なら○）
4　子どもの教育には食事の習慣が大切だ。
　　（「心の健康」なら○）

2番
問1　正解2
問2　正解1
問3　正解3

ことば
「受験」（college) entrance examination　应试　수험
「受験勉強」studying for entrance exams　应试学习　수험공부
「苦しむ」suffer　受折磨　괴로워하다
「災害」disaster　灾害　재해
「演奏」musical performance　演奏　연주
「声があがる」an opinion is raised　有人说　요구가 있다, 목소리가 높아지다
「いっそう」＝前よりもっと
「もとの」＝前の
「乗り越える」overcome　度过，跨过　극복하다
「あらためて」＝もう一度／また
「注目する」take notice of　引人注意　주목하다

ポイント
①この文章を書いた人にとって音楽は：絶対に必要なものではないが、苦しいときや悲しいときに力をくれて、元気にしてくれた。… is not something absolutely necessary, but gave me strength and made me feel better when I was suffering or feeling sad.　不是绝对需要的东西，但是在痛苦和悲伤的时候给我们力量，让我们变得有精神。절대로 필요한 것은 아니지만, 괴로울 때나 슬플 때 힘이 되어주고, 밝게 해주었다.
②人々にとって音楽は：災害の後、音楽が一度消えてしまったとき、人々は前よりもっと暗い気持ちになった。この経験から人々は「音楽は人に力を与える」ということがわかった。When music disappeared at one time after the disaster, people felt even more gloomy. Through this experience they found that "music gives strength to people."　灾害发生后，有一阵子音乐消失的时候，人们的心情比以前更悲伤了。从这个经验，人们知道了"音乐给人力量"。재해가 있은 후, 음악이 한번 사라졌을 때, 사람들은 전보다 더 어두운 기분이 들었다. 이 경험으로 사람들은 「음악은 사람에게 힘을 준다」라는 점을 알게 되었다.

＜問1のカギ＞
「❶それがないと生きていけない、というほど大切なものだとは思わない。❷けれども、受験勉強に苦しんでいたとき、友人と別れてさびしく思っていたとき、私は音楽からどれだけ力をもらったことか」：❶の文では「音楽はそれほど大切ではない」と言っている。しかし、❷の文の頭に「けれども」があるので、❷の文は❶と反対の「音楽は大切だ」という意味になると推測できる。In Sentence ❶, the writer says "Music is not that important." But at the beginning of Sentence ❷, you see "けれども (however)", so you can guess that Sentence ❷ means "Music is important" which is the opposite of ❶. 句子❶叙述了"音乐并不是那么重要"。但是，句子❷的开头有「けれども (但是)」，可以推测，句子❷和❶有相反的意思，即："音乐很重要"。❶의 문장에서는 「음악은 그다지 중요하지 않다」라고 얘기하고 있다. 그러나 ❷의 문장 어두에서 「けれども (하지만)」이 있으므로, ❷의 문장은 ❶과 반대로「음악은 소중하다」라는 의미가 될 것이라고 추측할 수 있다.

◇「どれだけ／どんなに Ａことか」＝とても／非常に Ａ　例：「難しい試験に合格して、どんなにうれしかったことか」

＜問2のカギ＞
「私たちの生活から音楽が消えてしまった。そのとき、私には、世界がいっそう暗くなったように思われた」Music disappeared from our life. At that time I felt like the world had become even darker.　我们的生活中音乐消失了。那时，我觉得世界更黑暗了。우리들의 생활에서 음악이 사라져 버렸다. 그때 나는 세상이 한층 더 어두워졌다라고 생각했다.

＜問3のカギ＞
「私は音楽からどれだけ力をもらったことか」「音楽の力があらためて注目されたのだ」The power of music has been recognized anew.　音乐的力量又重新引人注目了。음악의 힘이 다시 주목 받게 되었다.

選択肢について
問1　「音楽からどれだけ力をもらったことか」とは？
1　音楽はあまり大きな力をくれなかった。
　　　（「大きな力をくれた」と言っている）
3　どれぐらい音楽の力が大きいかよくわからなかった。
　　　（「どれぐらい大きいか」は問題ではない）
4　そのとき聞いた音楽はとても力強い曲だった。
　　　（「どんな曲だったか」は問題ではない）

問2　「（私が）このように感じた」こと
2　音楽が消えても明るい生活が戻ってくると感じた。
　　　（音楽が消えて「暗くなった」なら○）
3　災害が起こったときに歌を歌うのはよくないと感じた。
　　　（これは人々が感じたこと。私が感じたことではない）
4　もとの明るい生活に早く戻りたいと感じた。
　　　（これは音楽が消えたあとに感じたことではない）

問3　音楽はどのようなものだと言っているか。
1　水や空気と同じように大切なもの
　（「音楽より水や空気のほうが大切だ」と言っている）
2　忘れることができないもの
　（「忘れることができない」のは前に聞いた特定の曲で、「音楽」全体ではない）
4　人々がいつも注目するもの
　（人々は「音楽は人に力を与える」という事実にまた注目した。「いつも」ではない）

3番
問1　正解2
問2　正解2
問3　正解4

ことば
「携帯電話」cellphone　手机　휴대전화
「メール」email　邮件，电子邮件　메일
「交換」exchange　交换　교환
「しょっちゅう」frequently　不时地　자주
「チェックする」check　检查，确认　체크하다
「気を付ける」be careful　注意　주의하다, 조심하다
「気になる」can't get ... off one's mind　在意　마음에 걸리다
「仲良くなる」become friends　变得友好　사이 좋아지다
「付き合い」relationship, friendship　交际　교제
「互い」each other　相互　서로
「ただの～」only ～　只是～　단지, 그냥
「相手」the other person, partner　对方　상대
「信頼する」trust　信赖　신뢰하다
「結果」result　结果　결과
「思いがけない」unexpected　没想到　뜻밖이다, 생각해보지도 못하다
「トラブル」trouble　问题, 纠纷　트러블
「巻き込む」involve　被卷入　휘말리다
「避ける」avoid　避免　피하다

ポイント
メール交換の良くない点：
① メールのことばかりが気になって携帯電話をしょっちゅう見ていると、ほかのことに注意が向かなくなってしまう。If you can't get your email messages off your mind and keep looking at your cellphone, you will fail to pay attention to other things.　只在意邮件, 不时地看手机, 不注意别的事了。메일에만 신경이 쓰여 휴대폰을 자주 보게 되면, 다른 일에 주의가 가지 않게 되어 버린다.

② 相手のことをよく知らないのに親しみを感じて簡単に信頼してしまう。その結果、トラブルになることもある。You feel friendly and trust the person easily without knowing him/her well. As a result you may end up being in trouble.　并不了解对方却感到亲切进而信赖对方。结果可能发生纠纷。상대방을 잘 모르는데도 친밀감을 느껴 간단히 신뢰해 버리게 된다. 그 결과 트러블

이 생기는 경우도 있다.

<問1のカギ>
「メール交換のことばかりが気になって、ほかのことには注意が向かなくなっている心配があります」＝メール交換だけに気を取られて、しなければならないほかのことをしていないかもしれない。Being occupied only with exchanging emails, you may fail to do other things that you are supposed to do.　心思都用在交换邮件上, 可能没做必须做的事情。메일 교환에만 정신이 팔려, 해야 할 다른 일을 하지 않았을지도 모른다.

<問2のカギ>
「メールによる付き合いの問題点は、少しメールの交換をしただけで互いがよくわかったように思い、良い友だちができたと思ってしまうところです」＝問題点は、相手のことがよくわかっていないのに、良い友だちができたと錯覚することだ。The problem is that you've got an illusion that you have made good friends with someone when you know little about him/her.　问题在于在并不是很了解对方的情况下, 却有是好朋友的错觉。문제점은 상대방을 잘 모르는데, 좋은 친구가 생겼다고 착각한다는 점에 있다.

<問3のカギ>
「相手を簡単に信頼した結果、思いがけないトラブルに巻き込まれる人もいるのです」⇒メール交換には危険もある。

選択肢について
問1　気を付けること
「気を付けたほうがいい」は、ここでは「しないほうがいい」という意味だから、筆者が良くないと言っていることを選ぶ。"気をつけたほうがいい (should be careful about...)" here means "had better not do...," so you should choose what the writer says is not good. "气を付けたほうがいい（还是当心～为好）", 在这儿是"不要做～为好"的意思, 所以, 选择笔者说不太好。「기를 付けたほうがいい (조심하는 것이 좋다)」는 여기서는 「하지 않는 것이 좋다」라는 의미이므로, 필자가 좋지 않다고 하는 것을 선택하면 된다.
1、3、4は「しないほうがいい」と言っていることではない。

問2　メールによる付き合いの難しいところ
1　良い友だちや良い知り合いをつくれないこと
　（これは、言っていない）
3　実際には会わないので相手をよく理解できないこと
　（「短い時間では」なら○）
4　一緒に勉強や仕事をしないので親しくなれないこと
　（「一緒に勉強や仕事をすれば親しくなれる」とは言っていない）

問3　[③] に入るもの
「トラブルを避けるために必要なこと」が入る。しかし、1、2、3は、トラブルを避けるためにすることではない。

内容理解 長文

第1回

1番
問1　正解2
問2　正解1
問3　正解3
問4　正解4

ことば
「代表的(な)」representative, typical　代表性（的）대표적(인)
「楽(な)」easy, comfortable　简单的, 容易的　편안한, 쉬운
「親しむ」feel close to ...　亲近　친숙하다, 익숙하다, 친하게 지내다

ポイント
①日本の言葉遊びには、「音を使った遊び」と「言葉の意味を使った遊び」がある。
②「しゃれ」と「回文」は「音を使った遊び」。「なぞなぞ」は「言葉の意味を使った遊び」。
③「しゃれ」は、短い文の中に同じ音の言葉を入れる遊び。
④「回文」は、前から読んでも後ろから読んでも同じになる文。
⑤「なぞなぞ」は、問題の中の言葉の意味から答えを考える遊び。

<問1のカギ>
「『音を使った遊び』の代表的なものは『しゃれ』です」「つぎのような、音を使った言葉遊びもあります。…これは『回文』というもので…」⇒「音を使った遊び」は「しゃれ」と「回文」

<問2のカギ>
「短い文の中に『らくだ』(動物)と『楽だ』という同じ音の言葉を入れて作ります。音が似ている言葉を使って作ることもあります」

<問3のカギ>
「これは『回文』というもので、前から読んでも後ろから読んでも同じになる文です」

<問4のカギ>
「言葉は考えを伝えるだけのものではありません。言葉を使って遊ぶことも昔から行われています」⇒言葉は、考えを伝えることだけに使うのではない。言葉を使って「遊ぶ」こともできる。

選択肢について
問1　音を使った遊び
音を使った遊びは、「しゃれ」と「回文」。「なぞなぞ」は意味を使った遊び。

問2　しゃれ
1　スキー、大好き
　　（下線の部分が同じ音⇒これは「しゃれ」）

2　遠く鳴く音（トオクナクオト）
　　（前から読んでも後ろから読んでも同じ⇒これは「回文」）
3　1年に1回しかとれないもの
　　（「年をとる」と言うから、「年／年齢」がこの問題の答え⇒これは「なぞなぞ」）
4　夏まで待つな。（ナツマデマツナ）
　　（前から読んでも後ろから読んでも同じ⇒これは「回文」）

問3　回文
「回文」は、前から読んでも後ろから読んでも同じになる文。
1　一つの字を違う音で読まなければならない。
　　（「一つの字を違う音で読む」ものは、この文章にはない）
2　文の中に音が同じか似ている言葉を入れる。
　　（これは「しゃれ」）
4　問題文から答えを考えることができる。
　　（これは「なぞなぞ」）

問4　内容と合っているもの
1　意味は同じでも音が違う言葉が日本語には多い。
　　（「意味は同じでも音が違う」については書いてない）
2　「言葉遊び」は人の考えを伝えるために必要なものだ。
　　（「人の考えを伝えるために必要なもの」は「言葉」。「言葉遊び」ではない）
3　良い「言葉遊び」の文はいつも短い。
　　（「言葉遊びの中には、短い文の中に同じ音や似ている音の言葉を入れる遊びがある」と言っている。言葉遊びの文はいつも短いのではない）

2番
問1　正解4
問2　正解3
問3　正解2
問4　正解2

ことば
「携帯電話」cellphone　手机　휴대전화
「ぶつかる」bump into ...　撞到, 撞　부딪치다, 충돌하다
「気にする」care　在意　신경 쓰다
「文句」phrase, complaint　话语, 意见, 牢骚　문구
「〜べきではない」＝〜してはいけない
「迷惑」bother, nuisance　麻烦　폐
「〜はずだ」＝きっと〜だろう
「いつでもどこでも」whenever and wherever　无论何时何地　언제든 어디서든
「やるやらない」play or not play　做或不做（玩或不玩游戏）　한다 안 한다
「個人」individual　个人　개인
「画面」screen　银屏　화면

ポイント

①電車の中でゲームをしたり、歩きながらゲームをしている人がいる。この人たちは周りの人のことを気にしていない。
②仕事の後でゲームをしている人がいて、仕事中の社員から文句が出た。この会社では会社にゲームを持ってきてはいけないことになった。
③時間や場所を考えないでゲームをする人がいるのは困る。
④ゲームは周りの人の迷惑にならないようにやってほしい。

<問１のカギ>
「歩きながらやっていて人にぶつかってしまうこともある。見ているこちらのほうがこわいと思うが、ゲームをしている人は、全然気にしていないようだ」
⇒周りの人にぶつかってしまうかもしれないのに、ゲームをしている人はそれを気にしていない。
「見ているこちらのほうがこわいと思う」
＝こちら（私）は見ているだけなのに、こわい。Even though I'm only watching the player, I feel scared. 我只是看着而已，太可怕了。이쪽(나)은 보고 있을 뿐인데 무섭다.

<問２のカギ>
「ゲームをしていた人たちは、『仕事中ではなくて仕事が終わった後なのだから何をしてもいい』と思っていたのだろう」
⇒仕事が終わった後なら何をしてもいいということではない。It is not that you can do anything after you're done with your work. 并不是说工作结束后做什么都可以。일이 끝난 다음이라고 해서 무엇을 해도 괜찮은 것은 아니다.
⇒ゲームをしていた人たちは、会社でしてはいけないことがあることがわかっていない。The game players do not understand that there are things they should not do at their workplace. 游戏的人们不知道在公司里有不允许干的事。게임을 하던 사람은, 회사에서 해서는 안 된다는 것을 모른다.

<問３のカギ>
「会社は仕事をするところなのだから仕事に関係のないものを持っていくべきではない。それに、ほかの人の迷惑になるようなことをしてはいけない。それぐらいのことは、大人なら注意されなくてもわかるはずだ」
⇒「それぐらいのこと」とは「会社は仕事をするところだ」ということと、「ほかの人に迷惑になるようなことをしてはいけない」ということ。「これは大人はもちろんわかるだろう」と言っている。

<問４のカギ>
「だが、そのために時間や場所を考えないでゲームをする人が多くなってしまったのではないか」
⇒時間や場所を考えないでゲームをすることはよくない。ゲームをするときは、周りを見て、今ここでゲームをしていいかどうか確かめてほしい。

◇「ゲームをやるやらないは個人の自由だ」＝ゲームをするかしないかは、その人が自分で決めることだ。

選択肢について

問１　ゲームをしている人は何を気にしないか
1　ゲームをやっている人が多いこと
　　（これは事実を書いただけ）
2　ゲームの機械が小さいこと
　　（「機械が小さいことが問題だ」とは言っていない）
3　周りの人に見られていること
　　（「見られていることが問題だ」とは言っていない）

問２　「仕事の後でゲームをやっている人たち」とはどんな人たちか
1　仕事をしないでゲームで遊んでばかりいる人たち
　　（仕事をした後のことについて書いている。仕事をしない人ではない）
2　会社にゲームの機械を持って行ってはいけないことを知らなかった人たち
　　（この決まりは、文句が出た後にできた。それまでは、この決まりはなかったので、知っていたか知らなかったかは問題ではない）
4　仕事をちゃんとやっているのに注意されてしまった人たち
　　（仕事が済んだ後のことについて書いているから、仕事をちゃんとするかどうかは問題ではない）

問３　「それぐらいのことは、大人なら注意されなくてもわかるはずだ」の意味
1　大人だから自分で間違いに気がつくまで待ったほうがいい。
　　（「待ったほうがいい」とは言っていない）
3　子どもでもわかることだから、大人が大人に注意することはよくない。
　　（「大人が大人に注意する」とは言っていない）
4　大人が簡単に理解できることでも、子どもにはわからない場合がある。
　　（「大人にはわかるが子どもにはわからないことがある」とは言っていない）

問４　「自分の周りを見る」の意味
ゲームをしていい時間か、いい場所かを確認するために「自分の周りを見てほしい」と言っている。It says they should look around to check if it's the right time or the right place to play games. 说的是，为了确认是不是玩游戏的时间，是不是玩游戏的地方，"要仔细看自己的周围（环境）。" 게임을 해서 좋은 시간인지, 좋은 장소인지를 확인하기 위해서는「자신의 주변을 봤으면 한다」라고 말하고 있다.

第2回
1番
問1　正解 3
問2　正解 2
問3　正解 4
問4　正解 1

ことば
「感想(かんそう)」 comment　感想　감상
「サイト」 website　网站　사이트
「情報(じょうほう)」 information　情报　정보
「～はずだ」＝きっと～だろう
「悪口(わるぐち)」 bad names, saying spiteful things　坏话　욕, 험담, 악담
「流(なが)れる」 flow, appear　流, 传播, 播送　흐르다
「種類(しゅるい)」 kind　种类　종류
「ますます」 more and more　越来越　더욱더
「信用(しんよう)する」 trust　相信　신용하다

ポイント
①「口コミサイト」とは何か：インターネットには「口コミサイト」があって、だれでもこのサイトに感想を書いたり、情報を読んだりすることができる。自分の本当(ほんとう)の名前(なまえ)を出さなくても書くことができる。
②問題点：お金を払(はら)って、本当ではないことを書くように頼(たの)む店が出てきた。また、情報を出した人がだれかわからないし、その情報が本当かどうかもわからない。
③言いたいこと：正しい情報を選(えら)ぶのは難(むずか)しい。

＜問1のカギ＞
「食事に行くとき、この口コミサイトを見て、『おいしかった』などの良(よ)い感想(かんそう)が多い店を選べば、間違(まちが)いがないはずです」＝口コミサイトを見て、多くの人が「おいしかった」と言っている店に行けば、きっとおいしい料理が食べられるだろう。
◇「間違(まちが)いがない」＝失敗(しっぱい)をしない

＜問2のカギ＞
「このように便利(べんり)な口コミサイトですから、多くの人に利用(りよう)されています」⇒口コミサイトの良い点(てん)は「便利なこと」だと言っている。
◇「このように」＝その前に書いてあること⇒客(きゃく)が料理や商品をどう思ったかがわかるので、良い店が選べること

＜問3のカギ＞
「そのため、本当ではないことを書いてほしいと頼む店が出てきました。つまり、お金を払ってだれかに口コミサイトに『おいしかった』と書いてもらうのです」⇒「この方法(ほうほう)」とは、金を払って本当ではないことを書くように頼むこと。
「たくさんの客に来てほしいという気持ちはわかりますが」⇒たくさんの客に来てもらうために「この方法」を使う。

＜問4のカギ＞
「私たちはいつでも、正しい情報を選びたいと思いますが、それは、簡単(かんたん)にできることではないようです」
⇒正しい情報を選ぶことは、簡単ではない。

選択肢について
問1　「間違(まちが)いがない」の意味
1　店の場所を間違えない。
　（店の場所を間違えるかどうかは書いてない）
2　インターネットの情報は正しい。
　（「インターネットの情報には正しくない情報もある」と言っている）
4　正しい情報がもらえる。
　（正しくない情報が伝わることもある）

問2　口コミサイトの良い点
客が料理や商品をどう思ったかがわかるので良い店が選べるから、「便利な口コミサイトですから、多くの人に利用されています」と言っている。つまり、「客が料理や商品をどう思ったかがわかる」ことがいいと言っている。1、3、4ではない。　It says you can pick a good store because you can find out what customers thought about its foods or merchandise, and "a lot of people use it because it's a convenient site." It says the good point is that "you can find out what the customers thought about the foods or merchandise." 1, 3, or 4 are wrong.　因为知道客人对菜肴，商品是怎么想的，所以可以选择好的店，"方便的口头宣传网站，被很多人所爱用。"总之，说的是"知道客人对菜肴和商品是怎么想的"是一件好事。不是1、3、4。　손님이 요리나 상품에 대해 어떻게 생각하는지 알 수 있기에, 좋은 가게를 선택할 수 있으므로, "편리한 입소문 사이트이므로, 많은 사람들이 이용하고 있습니다"라고 말하고 있다. 즉, "손님이 요리나 상품을 어떻게 생각하고 있는지를 알 수 있다"라는 점에 대해 좋다고 얘기하고 있다. 1, 3, 4는 아니다.

問3　「この方法(ほうほう)」の目的(もくてき)
1　客に「おいしい料理だ」と言ってもらうための方法
（「この方法」は、金を払って『おいしい料理だ』と書いてもらって、客がたくさん来るようにするのが目的。客に「おいしい料理だ」と言ってもらうのが目的ではない）
The purpose of this technique is to get a lot of customers to come by asking to comment that "the foods are good." To have them say "the foods are good" is not the purpose. ("这个方法"是付钱让大家写下"好吃的菜肴"，让很多顾客来是目的。让顾客说"好吃的菜肴"并不是目的。)　「이 방법」은 돈을 지불하고 『맛있는 요리다』라고 쓰게 하여, 손님이 많이 오도록 하는 것이 목적. 손님에게 「맛있는 요리다」라는 말을 듣는 것이 목적은 아니다.

2　だれが書いたかわからないようにするための方法
（口コミサイトは名前を出す必要がないから、いつもだれが書いたかわからない。だから、だれが書いたかわか

らなくする必要はない）

3 店から金をもらうための方法
（「この方法」は、店の人が口コミを書く人に金を払って頼むこと。口コミを書く人が店から金をもらうためにするのではない）

問4　言いたいこと
2 店や商品を選ぶとき、口コミサイトをもっと使えばいい。
（「もっと使えばいい」とは言っていない）
3 口コミサイトの情報は正しくないので、使わないほうがいい。
（「使わないほうがいい」とは言っていない）
4 口コミサイトに感想を書くときは、本当の名前を使うべきだ。
（本当の名前を出した場合でもその人がウソを書くことがあると言っているから、「本当の名前を出すべきだ」は言いたいことではない） It says that a person can still tell lies even if he/she uses his/her real name. Therefore, "Real names should be used" is not what it is trying to say. 因为即使写真实姓名，也会有人写下谎话，所以"必须写真实姓名"并不是想说的事。 실명을 제시한 경우라도 그 사람이 거짓말을 적는 경우가 있다라고 말하고 있으므로，「실명을 제시해야 한다」라는 것을 얘기하고 싶은 것은 아니다．

2番
問1　正解 3
問2　正解 4
問3　正解 3
問4　正解 1

ことば
「高速道路」expressway　高速公路　고속도로
「発達」development　发达　발달
「山奥」deep in the mountains　深山里　산속
「新鮮(な)」fresh　新鮮(的)　신선(한)
「(野菜、魚が)とれる」(vegetables) are harvested, (fish) get caught　能吃到蔬菜，鱼　(야채，생선이) 수확되다，잡히다
「作物」crops　作物，农作物　작물
「可能(な)」possible　可能(的)　가능(한)
「できるだけ」as … as possible　尽可能　가능한 한，되도록
「活動」activity　活动　활동
「さかん(な)」popular, thriving　盛行(的)　번성(한)，활발(한)
「結びつき」connections　连接　유대，관계
「自信」self-confidence　自信　자신
「産業」industry　产业　산업
「結果」result　结果　결과
「手に入る」can be obtained　得到，得手　손에 넣다
「片寄る」get unbalanced　偏向，偏　치우치다，기울다

ポイント
①昔と違って今は、どこに住んでいても同じようなものが食べられる。高速道路が発達したおかげで、物を短い時間で遠くまで運ぶことができるようになったからだ。
②しかし、「遠くから来るものではなく、その地方のものを食べるようにしよう」という活動もさかんになっている。
③この活動の目的は、その地方の産業を活発にすることだ。その地方で作物を作った人と作物を買う人の間につながりができれば、農業とほかのいろいろな産業の関係が深くなる。その結果、その地方全体の産業が活発になると考えられる。The purpose of this activity is to make the local industry thrive. If good connections are made between farmers who make crops in a region and people who buy them, the relationship between agriculture and other various industries will be deepened. As a result, the industry of the whole region could thrive. 这个活动目的是为了激发地方产业的活力。如果这一地方生产农作物的人和购买农作物的人能相互联系，可以深化农业和其他产业的关系。这样做的结果，可以想象，这一地区的全体产业都会得到活化。 이 활동의 목적은 그 지방의 산업을 활성화시키기 위해서이다．그 지방에서 작물을 만든 사람과 작물을 구입하는 사람간의 유대관계가 형성되면，농업과 다른 여러 산업과의 관계가 깊어진다．그 결과 그 지방 전체 산업이 활발해질 수 있을 것이다．
④しかし、この活動の結果はいいことだけではない。よくないことも考えられる。この活動があまり進むと、また昔のように、遠いところで作られたものを食べることができなくなるかもしれない。だから、この活動だけが進められていくことがないようにしなければならない。However, the result of this activity is not all good. Negative things can happen as well. If activity progresses too far, we may not be able to eat what is made in far-away places just as it was so many years ago. Therefore, it has to be cautioned that this activity alone be not progressed. 但是，这个活动的结果并不都是好的。也可以想象到不好的一面。如果过分推进这一活动，又会像从前一样，可能吃不到很远的地方的产品。所以，不要只是一味地推进这个活动。 그러나 그 활동의 결과는 좋은 것만은 아니다．좋지 않은 것도 사려된다．이 활동이 지나치게 진행되면，다시 옛날처럼 먼 곳에서 만들어진 것을 먹을 수 없게 될지도 모른다．그러므로 이 활동만 진행하는 일은 없도록 해야 한다．

<問1のカギ>
◇「輸送にかかる時間が短くなり、どこでも同じような食生活ができる」＝速く運べるようになったから、いろいろな地方で同じものが食べられる

<問2のカギ>
◇「このような人と人の結びつきができると、農業者とほかの産業の人のネットワークが生まれ、農業と

ほかの産業のかかわりも強くなるだろう。そうなれば、その<u>地方全体の産業が元気になる</u>という考えだ。 The idea is that when such connections among people are made, a network between farmers and other people from other industries will be born, and the relationship between agriculture and other industries will be strengthened. If that happens, they think, the industry of the whole region will be energized. 如果这样连接了人与人的关系，从事农业的人和其他产业的人际互联网形成了，农业和其他产业的相互关系也增强了。这样的话，可以认为，那个地区整个产业都会变得活跃起来。 이렇듯 사람과 사람의 유대관계가 만들어지면, 농업자와 다른 산업자와의 네트워크가 생기며, 농업과 다른 산업의 관계도 강해진다. 그렇게 되면, 그 지방 전체의 산업이 왕성해진다고 생각한다.：考え（ねらい、目的）：人の結びつきを作る（＝農業とほかの産業の関係が深くなる）⇒その地方全体の産業を活発にする。

＜問3のカギ＞
◇「ここでは野菜を作った人の顔を見て、話をすることができます。作った人が安全な野菜だと自信をもって売っていることもわかるので……」＝野菜を買う人は、その野菜を作った人に会って、直接話すことができるから、それが安全な野菜だということもわかる。＝直接会って話をすることで、安心して買うことができる。

＜問4のカギ＞
◇「地産地消に片寄りすぎることがないように、注意が必要だ」＝地産地消の活動だけがどんどん進んで広がることはよくないので、そうならないようにするべきだ。 It is not good that the "local product, local consumption" activity progresses too far, so we should try to prevent it. 只是一味地推进"地产地销"的活动是不太好的，要避免这种情况。 지방소비 활동만을 계속 진행해 확대해 가는 것은 좋지 않으므로, 그렇게 되지 않도록 해야 한다.

選択肢について

問1　「どこでも同じ食生活ができる」の例
1　<u>北でも南でも同じ野菜が作られて</u>、だれでも同じ野菜を食べる。
　　（「北でも南でも同じ野菜が作られて」いる、とは文章中に書いてない）
2　山に住む人も海辺の人も<u>その場所で</u>とれた野菜や果物を食べる。
　　（「その場所で」は、「どこでも」ではない）
4　朝、海でとれた新鮮な魚を<u>その地方で</u>昼食に食べる
　　（「その地方で」は、「どこでも」ではない）

問2　「人と人の結びつきを大切にする」目的
1　売られているもの<u>を安心して買えるようにすること</u>

（「人の結びつき」は「ものを安心して買えるようにすること」とは直接の関係がない）
2　その地方の<u>農業</u>をさかんにすること
　　（「農業」だけでなく、いろいろな産業をさかんにする目的）
3　<u>顔が見え、話ができるような関係をつくること</u>
　　（このような関係をつくることについては、文章中に書いてない）

問3　「安心して買うことができる」と言う理由
1、2、4は、文章中に書いていないこと

問4　書いた人の考えに一番合うもの
2　<u>この活動がますますさかんになるといい。</u>
　　（書いた人の考えと反対のこと）
3　この活動によって<u>各地で作られたものが簡単に手に入る</u>のでいい。
　　（「各地で作られたものが手に入る」ことは、この活動ではない）
4　この活動の結果がいいことばかりになればいい。
　　（文章中に書いていない）

情報検索

第1回

1番

問1　正解 2
問2　正解 4

問1　【課題】申し込みの期限

ポイント

◇ このお知らせの日付は「3月15日」⇒「今月」は「3月」
◇「今月末日までに管理人室のポストに入れてください」：「今月末日」は「3月31日」⇒ 3月31日までに申し込まなければならない。

問2　【課題】青山さんが家にいることができる日と時間

ポイント

◇ 家にいられない日と時間（留守になる日と時間）：
　① 4月9日と13日（休みの日ではない。仕事に行く）
　② 4月10日と11日（出張に行く）
　③「12日が休みになる。しかし、この日の午前中は歯医者の予約をしたので、午前中は留守だ」⇒ 12日の12時まで
　⇒ 家にいられる日と時間は①②③以外＝12日の午後

2番

問1　正解 1
問2　正解 2

問1　【課題】申し込みの開始日

ポイント

◇「利用日の前月の1日から申し込めます」：「利用日」は「4月の前半」＝ 4月1日から15日ごろまで ⇒「利用日の前の月の1日」は「3月1日」

問2　【課題】支払う料金

ポイント

◇ 借りる部屋：「日本料理の作り方を習いたい」「いっしょに習いたい人が15人になりました」⇒ 15人で料理を作るから、**調理室B**を借りる。
◇ 借りる時間：「午後6時から」⇒ **夜間**
◇ 部屋の使用料：調理室Bの夜間の料金は、**1,000円**
◇「なべなどの調理道具も借りなければなりません」「調理道具も利用する場合は、午前・午後・夜間ごとに500円をお支払いいただきます」⇒ 部屋の使用料のほかに 500円を払う ⇒ 1,000円＋500円＝ **1,500円**

⚠️「平日の6時から」：「土・日・祝日」ではないので、20パーセント増しにはならない。

第2回

1番

問1　正解 3
問2　正解 3

問1　【課題】4人の入場料（入園料）の計算

ポイント

① 中山スタジアム：850円×2（大人2人）＝ 1,700円（子どもは0円）
② 中央公園：550円×4（大人2人と子ども2人）＝ 2,200円
③ なかやま動物園：600円×2（大人2人）＋ 300円（5歳の子）＋ 0円（2歳の子）＝ 1,500円
④ なかやま公園：700円×2（大人2人）＋ 300円（5歳の子）＋ 300円（2歳の子）＝ 2,000円
⇒ 一番安いのは③

問2　【課題】条件に合うところ

ポイント

◇ マニさんの条件：① 子どもといっしょに楽しめる　② 駅・バス停から歩いて（徒歩）10分以内
◇ ①の条件に合わないところは 2（大人向け）⇒ 1、3、4 が合う
　②の条件に合わないところは 1（徒歩15分）⇒ 3、4 が合う

2番

問1　正解 2
問2　正解 1

問1　【課題】本を返す日

ポイント

◇「5月10日に中央図書館で本を借りた」「本は2週間、7冊まで借りることができます」⇒ 5月10日から2週間以内に返さなければならない。⇒ 5月24日までに返さなければならない。
◇「なるべく長く借りたい」＝なるべく遅く返したい ⇒ 5月24日より前で、一番遅い日に返す。
◇「川中幼稚園か川中駅で本を返したい」⇒ 5月24日より前に車が来る日で、一番遅い日：川中幼稚園：5月23日、川中駅（東口）：5月21日、川中駅（西口）5月16日：⇒ 5月23日のほうが遅いので、5月23日に返す。

問2　【課題】移動図書館ではじめて本を借りるときに持っていくもの

ポイント

◇『本を借りるには「図書館利用カード」が必要です。（中央図書館と同じカードが使えます）』⇒ 山田さんは、中央図書館で本を借りたのだから、中央図書館

の「図書館利用カード」を持っている。移動図書館を利用する場合も、このカードを持っていけばいい。

⚠️
「図書館の利用がはじめての方は、保険証（ほけんしょう）など、住所・氏名を確認（かくにん）できるものをお持ちください。その場で『図書館利用カード』をお作りします」⇒山田さんははじめて移動図書館を利用するが、もう中央図書館の「図書館利用カード」を持っているので、保険証などは必要ない。